Los Amigurumi se van al cole

ANA PAULA RÍMOLI

Editora: Eva Domingo

Título original: *Amigurumi on the Go-30 Patterns for Crocheting Kid´s Bags, Backpacks, and More*
Publicado por primera vez en inglés en USA en 2012 por Martingale & Company®, Bothell,WA (www.martingale-pub.com)

© 2012 *by* Ana Paula Rímoli
© 2013 de la versión española
  by Editorial El Drac, S.L.
  Marqués de Urquijo, 34. 28008 Madrid
  Tel.: 91 559 98 32. Fax: 91 541 02 35
  E-mail: info@editorialeldrac.com
  www.editorialeldrac.com

Fotografías: Brent Kane
Ilustraciones: Christine Erikson, Ann Marra y Adrienne Smitke
Diseño de cubierta: José María Alcoceba
Traducción: Ana María Aznar
Revisión técnica: Esperanza González

Gracias a Land of Nod por cedernos sus muebles y artículos para las fotografías.

Esta edición se publica por acuerdo con Claudia Böhme Rights & Literary Agency, Hannover, Alemania (www.agency-boehme.com)

ISBN: 978-84-9874-345-6
Depósito legal: M-21.762-2013
Impreso en Artes Gráficas COFÁS
Impreso en España – *Printed in Spain*

Dedicatoria

- Para mis amigos queridos, que están lejos pero siempre cerca. Los quiero mucho.

- Para mis nenas lindas y el amor de mi vida.

Índice

Introducción

Como muchas de vosotras ya sabéis, tengo dos niñas pequeñas (para mí siempre serán niñas pequeñas): Martina, que en el momento de publicarse este libro tiene casi cinco años, y Oli, a quien le faltan pocos meses para cumplir nueve. Marti empezó este año preescolar y yo no estaba preparada para que mi "bebé" pasara tanto tiempo en el colegio todos los días. Ella sí estaba más que preparada y se siente encantada con sus profesoras, sus nuevos amigos ¡y hasta con sus deberes! Oli se ha convertido en una mini adolescente que se pasa el día leyendo, escuchando música en su cuarto ¡y pintándose las uñas de violeta!

Siguen discutiendo y continúan las peleas, los recortes de papel, las manualidades y las lecturas, pero parece que el tiempo pasa más deprisa que nunca. ¡Supongo que me estoy haciendo vieja! Cuando era pequeña, una semana me parecía que duraba un año y las vacaciones de verano se me hacían eternas. Ahora, me da la sensación de que lo único que hago es decirles: "¡Daos prisa, que llegáis tarde al colegio!", "¡Dejad de pelear!", "¡Recoged vuestro cuarto!", y estoy tan cansada que los días se me pasan sin disfrutar realmente de ellos. ¿Y qué más da si llegan tarde al colegio? (No les digáis que lo he dicho). ¿Y qué más da si tienen la habitación llena de libros y de ropa y de muñecas por todas partes?

No me puedo creer que se hayan hecho tan mayores y he decidido ocuparme más de ellas todos los días, porque el tiempo pasa demasiado deprisa. No quiero ni imaginar el momento en que no deseen estar todo el rato conmigo, pero mientras tanto les haré tantas bolsas, bolsitos y accesorios como pueda para que siempre lleven un recuerdo mío y así vaya yo con ellas a todas partes. ¿Y qué os parece si les pongo un GPS en el relleno sin que se den cuenta? ¿O una mini cámara? ¡Bueno, vale, mejor no!

Espero que paséis un buen rato tejiendo los proyectos del libro para los niños de vuestra vida, ¡o para vosotras! Hay que comprar siempre los accesorios adecuados a la edad de los niños, para evitar riesgos con los más pequeños. A mí me gusta mucho la Mini bolsa deportiva a todo color, lo cierto es que yo utilizo una igual (en cualquier caso, siempre puedo decir que es de una de mis hijas).

Muchas gracias por probar a hacer los proyectos de este libro inspirados en los Amigurumi y por apreciar mi trabajo. ¡Un abrazo muy fuerte y que disfrutéis un montón tejiendo!

~Ana

Mochilas

Tamaño terminado

Unos 43 cm desde lo alto de la cabeza hasta la base de la bolsa

Mi hija pequeña, Martina, ya tiene cinco años y va a preescolar. A ella le encanta y yo estoy desolada. ¿Qué ha sido de mi bebé? Le hice esta mochila de osito para el colegio porque, aunque ya es "una niña mayor", sigue necesitando un osito que le haga compañía.

Materiales

Hilo grueso en tostado, marrón, rosa y negro, más los colores que se deseen para las bolsas/cuerpos (unos 360 m para la bolsa/cuerpo y 180 m para la cabeza y las extremidades)

Ganchillo, de 6 mm (J/10)

Trozos pequeños de fieltro para manualidades en tostado, blanco y negro

Hilo y aguja de coser

Hilo de bordar en negro y rosa y aguja de bordar

Aguja de tapicería

Cremallera, de 17 cm

Fiberfill u otro relleno

Cabeza

1.ª v.: con hilo tostado, marrón, rosa o negro: 2 cad., 6 p.b. en la 2.ª cad. a partir del ganchillo.

2.ª v.: 2 p.b. en cada p.b. hasta el final. (12 p.).

3.ª v.: *1 p.b., 2 p.b. en el p.b. sig.*, rep. 6 veces. (18 p.).

4.ª v.: *2 p.b., 2 p.b. en el p.b. sig.*, rep. 6 veces. (24 p.).

5.ª v.: *3 p.b., 2 p.b. en el p.b. sig.*, rep. 6 veces. (30 p.).

6.ª v.: *4 p.b., 2 p.b. en el p.b. sig.*, rep. 6 veces. (36 p.).

7.ª v.: *5 p.b., 2 p.b. en el p.b. sig.*, rep. 6 veces. (42 p.).

8.ª v.: *6 p.b., 2 p.b. en el p.b. sig.*, rep. 6 veces. (48 p.).

9.ª v.: *7 p.b., 2 p.b. en el p.b. sig.*, rep. 6 veces. (54 p.).

10.ª v.: *8 p.b., 2 p.b. en el p.b. sig.*, rep. 6 veces. (60 p.).

11.ª v.: *9 p.b., 2 p.b. en el p.b. sig.*, rep. 6 veces. (66 p.).

12.ª v.: *10 p.b., 2 p.b. en el p.b. sig.*, rep. 6 veces. (72 p.).

13.ª v.: *11 p.b., 2 p.b. en el p.b. sig.*, rep. 6 veces. (78 p.).

14.ª v.: *12 p.b., 2 p.b. en el p.b. sig.*, rep. 6 veces. (84 p.).

15.ª a 37.ª v.: 84 p.b.

38.ª v.: *12 p.b., 1 mg.*, rep. 6 veces. (78 p.).

39.ª v.: *11 p.b., 1 mg.*, rep. 6 veces. (72 p.).

40.ª v.: *10 p.b., 1 mg.*, rep. 6 veces. (66 p.).

41.ª v.: *9 p.b., 1 mg.*,
rep. 6 veces. (60 p.).

La cara: utilizar los patrones
de la página 15.

Para el oso, el mono y el conejo:
recortar los hocicos de fieltro,
bordar en esos hocicos las narices
y las sonrisas y coserlos en su sitio.
Recortar las piezas para los ojos
de fieltro negro y coserlas en
el lugar que corresponda.

Para el pingüino: recortar las
piezas para los ojos de fieltro
blanco y negro, coser las piezas
negras sobre las blancas y

después coser todo el conjunto
en su sitio. Hacer el pico del
pingüino a ganchillo y coserlo
donde corresponde (página 14).

42.ª v.: *8 p.b., 1 mg.*,
rep. 6 veces. (54 p.).

43.ª v.: *7 p.b., 1 mg.*,
rep. 6 veces. (48 p.).

44.ª v.: *6 p.b., 1 mg.*,
rep. 6 veces. (42 p.).

45.ª v.: *5 p.b., 1 mg.*,
rep. 6 veces. (36 p.).

46.ª v.: *4 p.b., 1 mg.*,
rep. 6 veces. (30 p.).

47.ª v.: *3 p.b., 1 mg.*,
rep. 6 veces. (24 p.).

48.ª v.: *2 p.b., 1 mg.*,
rep. 6 veces. (18 p.).

Rellenar la cabeza.

49.ª v.: *1 p.b., 1 mg.*,
rep. 6 veces. (12 p.).

50.ª v.: *saltar 1 p.b., 1 p.b.*,
rep. 6 veces. (6 p.).

Rematar y entretejer el cabo.

Bolsa/Cuerpo

La bolsa se empieza a tejer por abajo.

1.ª v.: con el hilo del color que se desee, 2 cad., 6 p.b. en la 2.ª cad. a partir del ganchillo.

2.ª v.: 2 p.b. en cada p.b. hasta el final. (12 p.).

3.ª v.: *1 p.b., 2 p.b. en el p.b. sig.*, rep. 6 veces. (18 p.).

4.ª v.: *2 p.b., 2 p.b. en el p.b. sig.*, rep. 6 veces. (24 p.).

5.ª v.: *3 p.b., 2 p.b. en el p.b. sig.*, rep. 6 veces. (30 p.).

6.ª v.: *4 p.b., 2 p.b. en el p.b. sig.*, rep. 6 veces. (36 p.).

7.ª v.: *5 p.b., 2 p.b. en el p.b. sig.*, rep. 6 veces. (42 p.).

8.ª v.: *6 p.b., 2 p.b. en el p.b. sig.*, rep. 6 veces. (48 p.).

9.ª v.: *7 p.b., 2 p.b. en el p.b. sig.*, rep. 6 veces. (54 p.).

10.ª v.: *8 p.b., 2 p.b. en el p.b. sig.*, rep. 6 veces. (60 p.).

11.ª v.: *9 p.b., 2 p.b. en el p.b. sig.*, rep. 6 veces. (66 p.).

12.ª v.: *10 p.b., 2 p.b. en el p.b. sig.*, rep. 6 veces. (72 p.).

13.ª v.: *11 p.b., 2 p.b. en el p.b. sig.*, rep. 6 veces. (78 p.).

14.ª v.: *12 p.b., 2 p.b. en el p.b. sig.*, rep. 6 veces. (84 p.).

15.ª y 16.ª v.: 84 p.b.

17.ª v.: 84 p.b. por las presillas traseras; esta es la última v. de la base.

Empezar el cuerpo de este modo:

Con el hilo del color (o colores) que se desee, formar rayas como se indica o como se prefiera:

Oso: alternar 5 v. en azul claro, amarillo y blanco roto con 2 v. en azul oscuro, terminando con amarillo.

Mono: alternar 8 v. en rojo con 8 v. de naranja, terminando con naranja.

Conejo: tejer (10 v. en verde, 1 v. en blanco, 1 v. en verde, 1 v. en blanco) 3 veces, terminando con verde.

Pingüino: seguir con el color de la base.

18.ª a 40.ª v.: 84 p.b.

Ahora se teje el bolsillo delantero.

41.ª v.: 33 p.b., 18 cad., saltar 18 p., 33 p.b.

42.ª v.: 33 p.b., 18 p.b. en el espacio de 18 cad., 33 p.b. (84 p.).

Hacer el interior del bolsillo (ver página 12).

43.ª a 52.ª v.: 84 p.b.

53.ª v.: *12 p.b., 1 mg.*, rep. 6 veces. (78 p.).

54.ª y 55.ª v.: 78 p.b.

56.ª v.: *11 p.b., 1 mg.*, rep. 6 veces. (72 p.).

57.ª y 58.ª v.: 72 p.b.

59.ª v.: *10 p.b., 1 mg.*, rep. 6 veces. (66 p.).

60.ª v.: 66 p.b.

Ahora se deja un espacio para coser la cremallera; las instrucciones pueden parecer un poco complicadas porque se deja el espacio al final de una v. y al principio de la siguiente, pero ¡confiad en mí y seguid las indicaciones!

61.ª y 62.ª v.: 54 p.b., 24 cad., saltar 24 p. (la mitad de estos p. saltados están al final de la 61.ª v. y la otra mitad al principio de la 62.ª v.), 42 p.b., 12 p.b. en la primera mitad del espacio de 24 cad.

63.ª v.: 12 p.b. en la segunda mitad del espacio de 24 cad., 54 p.b. (66 p.).

64.ª a 70.ª v.: 66 p.b.

1 p.r. y rematar, dejando una hebra larga para coser.

Coser la cremallera en su sitio (ver página 76). Coser la parte de arriba de la bolsa con la 40.ª v. de la cabeza, que tiene 66 p. alrededor.

INTERIOR DEL BOLSILLO

Con hilo del color que se desee (yo utilicé uno que hiciera contraste), 22 cad. flojas.

1.ª v.: 21 p.b. empezando en la 2.ª cad. a partir del ganchillo, girar.

2.ª a 22.ª v.: 1 cad., 21 p.b., girar.

Rematar, dejando una hebra larga para coser. Volver la bolsa del revés y alinear la pieza del bolsillo con la abertura dejada en la 42.ª v. de la bolsa. Coser alrededor. ¡Ya está hecho el bolsillo!

Coser el bolsillo
por el revés del frente

Orejas del oso (hacer 2)

1.ª v.: con hilo tostado, 2 cad., 5 p.b. en la 2.ª cad. a partir del ganchillo.

2.ª v.: 2 p.b. en cada p.b. hasta el final. (10 p.b.).

3.ª a 7.ª v.: 10 p.b.

1 p.r. y rematar, dejando una hebra larga para coser una oreja a cada lado de la cabeza, empezando en la 14.ª v.

Orejas del mono (hacer 2)

1.ª v.: con hilo marrón, 2 cad., 5 p.b. en la 2.ª cad. a partir del ganchillo.

2.ª v.: 2 p.b. en cada p.b. hasta el final. (10 p.).

3.ª v.: *1 p.b., 2 p.b. en el p.b. sig.*, rep. 5 veces. (15 p.).

4.ª v.: *2 p.b., 2 p.b. en el p.b. sig.*, rep. 5 veces. (20 p.).

5.ª a 7.ª v.: 20 p.b.

1 p.r. y rematar, dejando una hebra larga. Usar esa hebra para coser una oreja a cada lado de la cabeza, empezando en la 22.ª v.

Brazos y piernas del oso y del mono (hacer 2 de cada)

Tejer con hilo tostado para el oso y con hilo marrón para el mono; cambiar a los colores del cuerpo en la 16.ª v. si a los brazos se les hacen mangas (como en el oso).

1.ª v.: 2 cad., 6 p.b. en la 2.ª cad. a partir del ganchillo.

2.ª v.: 2 p.b. en cada p.b. hasta el final. (12 p.).

3.ª v.: *1 p.b., 2 p.b. en el p.b. sig.*, rep. 6 veces. (18 p.).

4.ª a 23.ª v.: 18 p.b.

1 p.r. y rematar, dejando una hebra larga para coser. Rellenar un poco y coser la abertura. Coser un brazo a cada lado, a 2 v. por debajo de la unión del cuerpo con la cabeza. Coser las piernas abajo, con unos 10 cm de separación, como se ve en la página siguiente.

Orejas del conejo (hacer 2)

1.ª v.: con hilo rosa, 2 cad., 5 p.b. en la 2.ª cad. a partir del ganchillo.

2.ª v.: 2 p.b. en cada p.b. hasta el final. (10 p.).

3.ª v.: *1 p.b., 2 p.b. en el p.b. sig.*, rep. 5 veces. (15 p.).

4.ª v.: *2 p.b., 2 p.b. en el p.b. sig.*, rep. 5 veces. (20 p.).

5.ª a 23.ª v.: 20 p.b.

1 p.r. y rematar, dejando una hebra larga. Coser con ella una oreja a cada lado de la cabeza, empezando en la 8.ª v.

Brazos y piernas del conejo (hacer 2 de cada)

1.ª v.: con hilo rosa, 2 cad., 5 p.b. en la 2.ª cad. a partir del ganchillo.

2.ª v.: 2 p.b. en cada p.b. hasta el final. (10 p.).

3.ª v.: *1 p.b., 2 p.b. en el p.b. sig.*, rep. 5 veces. (15 p.).

BRAZOS

4.ª a 16.ª v.: 15 p.b.

PIERNAS

4.ª a 10.ª v.: 15 p.b.

PARA AMBOS

1 p.r. y rematar, dejando una hebra larga para coser. Rellenar un poco y coser la abertura. Coser un brazo a cada lado, a 2 v. por debajo de la unión cuerpo/cabeza. Coser las piernas en la 17.ª v., con unos 12 cm de separación entre ellas.

Alas del pingüino (hacer 2)

1.ª v.: con hilo negro, 2 cad., 6 p.b. en la 2.ª cad. a partir del ganchillo.

2.ª v.: 2 p.b. en cada p.b. hasta el final. (12 p.).

3.ª v.: 12 p.b.

4.ª v.: *1 p.b., 2 p.b. en el p.b. sig.*, rep. 6 veces. (18 p.).

5.ª v.: 18 p.b.

6.ª v.: *2 p.b., 2 p.b. en el p.b. sig.*, rep. 6 veces. (24 p.).

7.ª a 19.ª v.: 24 p.b.

20.ª v.: *2 p.b., 1 mg.*, rep. 6 veces. (18 p.).

21.ª y 22.ª v.: 18 p.b.

1 p.r. y rematar, dejando una hebra larga para coser. Cerrar con ella la abertura y coser un ala a cada lado, a 2 v. por debajo de la unión cuerpo/cabeza.

Pies del pingüino (hacer 2)

1.ª v.: con hilo naranja, 2 cad., 5 p.b. en la 2.ª cad. a partir del ganchillo.

2.ª v.: 2 p.b. en cada p.b. hasta el final. (10 p.).

3.ª v.: *1 p.b., 2 p.b. en el p.b. sig.*, rep. 5 veces. (15 p.).

4.ª a 8.ª v.: 15 p.b.

1 p.r. y rematar, dejando una hebra larga. Coser con ella los pies al cuerpo en la 17.ª v., dejando unos 11 cm de separación entre cada pie.

Orejeras del pingüino

Las orejeras consisten en 2 almohadillas para las orejas y una diadema aparte.

ALMOHADILLAS (HACER 2)

1.ª v.: con hilo amarillo, 2 cad., 6 p.b. en la 2.ª cad. a partir del ganchillo.

2.ª v.: 2 p.b. en cada p.b. hasta el final. (12 p.).

3.ª v.: *1 p.b., 2 p.b. en el p.b. sig.*, rep. 6 veces. (18 p.).

4.ª v.:*2 p.b., 2 p.b. en el p.b. sig.*, rep. 6 veces. (24 p.).

5.ª a 7.ª v.: 24 p.b.

1 p.r. y rematar, dejando una hebra larga para coser. Rellenar y coser las almohadillas a cada lado de la cabeza, empezando en la 21.ª v.

DIADEMA

Con hilo amarillo, 35 cad. flojas.

1.ª v.: 34 p.b. empezando en la 2.ª cad. a partir del ganchillo, girar.

2.ª v.: 1 cad., 34 p.b.

Rematar y coser entre las almohadillas.

Pico del pingüino

1.ª v.: con hilo naranja, 2 cad., 5 p.b. en la 2.ª cad. a partir del ganchillo.

2.ª v.: 2 p.b. en cada p.b. hasta el final. (10 p.b.).

3.ª v.: *1 p.b., 2 p.b. en el p.b. sig.*, rep. 5 veces. (15 p.).

4.ª y 5.ª v.: 15 p.b.

1 p.r. y rematar, dejando una hebra larga para coser el pico a la cabeza.

Tirantes (hacer 2)

Con el hilo del color que se desee y dejando una hebra larga para coser, 76 cad. flojas.

1.ª v.: 75 p.b. empezando en la 2.ª cad. a partir del ganchillo, girar.

2.ª a 4.ª v.: 1 cad., 75 p.b., girar.

5.ª v.: 75 p.r.

Rematar, dejando una hebra larga. Coser con ella un extremo de cada tirante en la 17.ª v., por detrás de la cabeza, con una separación de unos 7,5 cm entre los dos tirantes. Coser el otro extremo por detrás de la base, en la 17.ª v., con una separación entre los tirantes de unos 10 a 13 cm.

Ojo del pingüino

Ojo del mono

Ojo del oso
y del conejo

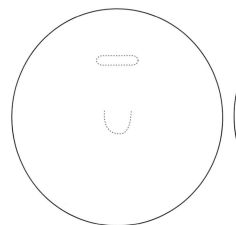

Hocico del oso

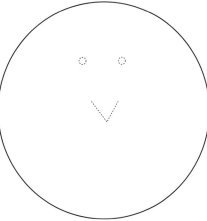

Hocico del mono

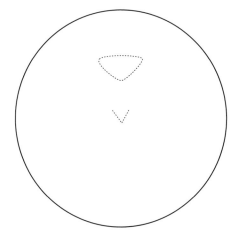

Hocico del conejo

Estuches para lápices

Tamaño terminado

Unos 11,5 cm de alto x 18 cm de ancho

Siempre me ha gustado el material para el colegio. Disfrutaba solo con el olor de los cuadernos y de los lápices nuevos y Oli (mi hija de ocho años) es igual que yo. Me imaginé que le gustaría tener un estuche bonito en el que guardar sus cosas para llevarlas al colegio.

Materiales

Hilo grueso en rosa, tostado, marrón y negro, más un poco de naranja (unos 100 m por estuche para lápices)

Ganchillo, de 6 mm (J/10)

Trozos pequeños de fieltro para manualidades en tostado, blanco y negro

Hilo y aguja de coser

Hilo de bordar negro y rosa y aguja de bordar

Aguja de tapicería

Cremallera, de 17,5 cm

Un poco de fiberfill u otro relleno

Estuche

El estuche se teje en redondo desde la base.

Con hilo rosa, tostado, marrón o negro, 31 cad. flojas.

1.ª v.: 30 p.b. empezando en la presilla de detrás de la 2.ª cad. (ver página 74), luego 30 p.b. en las presillas delanteras de la cad. (60 p.).

2.ª a 24.ª v.: 60 p.b.

1 p.r. y rematar.

Cara

Utilizar los patrones, página 19.

Para el conejo, el oso y el mono: cortar el hocico de fieltro, bordar en él la nariz y la sonrisa y coserlo aproximadamente hasta las ¾ partes, rellenar un poco y terminar de coser. Cortar las piezas para los ojos de fieltro negro y coserlas en su sitio.

Para el pingüino: cortar las piezas que se necesitan para los ojos de fieltro blanco y negro, coser las piezas negras sobre las blancas, descentrándolas ligeramente, y coser los ojos en su sitio.

Orejas del conejo y del oso (hacer 2)

1.ª v.: con rosa para el conejo y tostado para el oso, 2 cad., 6 p.b. en la 2.ª cad. a partir del ganchillo.

2.ª v.: 2 p.b. en cada p.b. hasta el final. (12 p.).

Para el conejo:
3.ª a 10.ª v.: 12 p.b.

Para el oso:

3.ª a 6.ª v.: 12 p.b.

1 p.r. y rematar, dejando una hebra larga. Cerrar con ella la abertura y coser las orejas a la última v. del dorso.

Orejas del mono (hacer 2)

1.ª v.: con hilo marrón, 2 cad., 6 p.b. en la 2.ª cad. a partir del ganchillo.

2.ª v.: 2 p.b. en cada p.b. hasta el final. (12 p.).

3.ª v.: *1 p.b., 2 p.b. en el p.b. sig.*, rep. 6 veces. (18 p.).

4.ª a 7.ª v.: 18 p.b.

1 p.r. y rematar, dejando una hebra larga. Cerrar con ella la abertura y coser una oreja a cada lado.

Pico del pingüino

1.ª v.: con hilo naranja, 2 cad., 6 p.b. en la 2.ª cad. a partir del ganchillo.

2.ª v.: 2 p.b. en cada p.b. hasta el final. (12 p.).

3.ª v.: *1 p.b., 2 p.b. en el p.b. sig.*, rep. 6 veces. (18 p.).

4.ª a 6.ª v.: 18 p.b.

1 p.r. y rematar, dejando una hebra larga para coser. Rellenar un poco y coser el pico entre los ojos.

Cremallera

Coser la cremallera en su sitio (ver página 76).

Ojo del pingüino

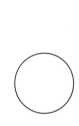

Ojo del oso, del conejo y del mono

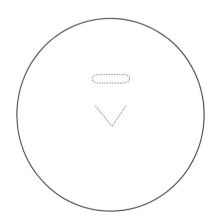

Hocico del oso

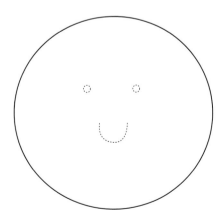

Hocico del mono

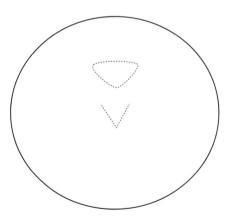

Hocico del conejo

Bolsas redondas

Tamaño terminado

Unos 15 cm de diámetro

Estas bolsas tienen el tamaño perfecto para que Martina lleve sus juguetes a todas partes. Estoy segura de que una niña mayor (¡o muy mayor!) la podría usar para guardar lo imprescindible en una salida: hay suficiente espacio para un poco de dinero, un bálsamo labial e incluso algo de comer.

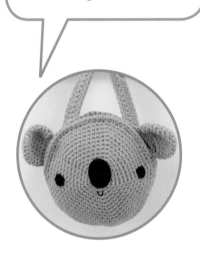

Materiales

Hilo grueso en blanco, gris, amarillo, rojo, negro, verde y marrón (unos 100 m por bolsa)

Ganchillo, de 6 mm (J/10)

Trozos pequeños de fieltro para manualidades en blanco y negro

Hilo y aguja de coser

Hilo de bordar negro y aguja de bordar

Aguja de tapicería

Cremallera, de 22,5 cm

Frente y dorso de la bolsa (hacer 2)

1.ª v.: con hilo blanco, gris, amarillo o rojo, 2 cad., 5 p.b. en la 2.ª cad. a partir del ganchillo.

2.ª v.: 2 p.b. en cada p.b. hasta el final. (10 p.).

3.ª v.: *1 p.b., 2 p.b. en el p.b. sig.*, rep. 5 veces. (15 p.).

4.ª v.: *2 p.b., 2 p.b. en el p.b. sig.*, rep. 5 veces. (20 p.).

5.ª v.: *3 p.b., 2 p.b. en el p.b. sig.*, rep. 5 veces. (25 p.).

6.ª v.: *4 p.b., 2 p.b. en el p.b. sig.*, rep. 5 veces. (30 p.).

7.ª v.: *5 p.b., 2 p.b. en el p.b. sig.*, rep. 5 veces. (35 p.).

8.ª v.: *6 p.b., 2 p.b. en el p.b. sig.*, rep. 5 veces. (40 p.).

9.ª v.: *7 p.b., 2 p.b. en el p.b. sig.*, rep. 5 veces. (45 p.).

10.ª v.: *8 p.b., 2 p.b. en el p.b. sig.*, rep. 5 veces. (50 p.).

11.ª v.: *9 p.b., 2 p.b. en el p.b. sig.*, rep. 5 veces. (55 p.).

12.ª v.: *10 p.b., 2 p.b. en el p.b. sig.*, rep. 5 veces. (60 p.).

13.ª v.: *11 p.b., 2 p.b. en el p.b. sig.*, rep. 5 veces. (65 p.).

14.ª v.: *12 p.b., 2 p.b. en el p.b. sig.*, rep. 5 veces. (70 p.).

15.ª y 16.ª v.: 70 p.b.

1 p.r. y rematar; entretejer los cabos.

LA CARA

Utilizar los patrones de la página 24.

Para el panda: cortar el hocico de fieltro blanco, bordar en él la nariz y la sonrisa y coserlo en su sitio. Cortar las piezas para los ojos de fieltro blanco y negro, coser las piezas negras pequeñas sobre las blancas y coser ambas en la parte estrecha de las piezas negras grandes. Coser los ojos en su sitio.

Para el koala: cortar la nariz de fieltro negro y coserla en su sitio. Bordar una sonrisa debajo de la nariz. Cortar las piezas para los ojos de fieltro negro y coserlas en su sitio.

Para el gato: cortar el hocico de fieltro blanco, bordar en él la nariz y la sonrisa y coserlo en su sitio. Cortar las piezas para los ojos de fieltro negro y coserlas en su sitio. Cortar unos triángulos de fieltro blanco y coserlos alrededor de la cara, como en la fotografía.

Para la manzana: cortar las piezas para los ojos de fieltro negro y coserlas en su sitio. Bordar la sonrisa.

UNIR EL FRENTE Y EL DORSO

Coser la cremallera entre el frente y el dorso (ver página 76). Poniendo revés con revés y con hilo a tono con la bolsa, coser el resto del frente y del dorso uno con otro.

Orejas del panda (hacer 2)

1.ª v.: con hilo negro, 2 cad., 6 p.b. en la 2.ª cad. a partir del ganchillo.

2.ª v.: 2 p.b. en cada p.b. hasta el final. (12 p.).

3.ª a 6.ª v.: 12 p.b.

1 p.r. y rematar, dejando una hebra larga. Cerrar con ella la abertura y coser las orejas a la última v. del dorso, dejando una separación de unos 10 cm entre ellas.

Orejas del koala (hacer 2)

1.ª v.: con hilo gris, 2 cad., 5 p.b. en la 2.ª cad. a partir del ganchillo.

2.ª v.: 2 p.b. en cada p.b. hasta el final. (10 p.).

3.ª v.: *1 p.b., 2 p.b. en el p.b. sig.*, rep. 5 veces. (15 p.).

4.ª v.: *2 p.b., 2 p.b. en el p.b. sig.*, rep. 5 veces. (20 p.).

5.ª a 10.ª v.: 20 p.b.

1 p.r. y rematar, dejando una hebra larga. Cerrar con ella la abertura y coser cada oreja a la última v. del dorso, dejando una separación de unos 10 cm entre ellas.

Orejas del gato (hacer 2)

1.ª v.: con hilo amarillo, 2 cad., 6 p.b. en la 2.ª cad. a partir del ganchillo.

2.ª v.: 6 p.b.

3.ª v.: 2 p.b. en cada p.b. hasta el final. (12 p.).

4.ª v.: 12 p.b.

5.ª v.: *1 p.b., 2 p.b. en el p.b. sig.*, rep. 6 veces. (18 p.).

6.ª a 8.ª v.: 18 p.b.

1 p.r. y rematar, dejando una hebra larga. Cerrar con ella la abertura y coser cada oreja a la última v. del dorso, dejando una separación de unos 10 cm entre ellas.

Hoja de la manzana

1.ª v.: con hilo verde, 2 cad., 5 p.b. en la 2.ª cad. a partir del ganchillo.

2.ª v.: 2 p.b. en cada p.b. hasta el final. (10 p.).

3.ª a 7.ª v.: 10 p.b.

8.ª v.: mg. 5 veces. (5 p.).

Rematar, dejando una hebra larga para cerrar la abertura de 5 p. Coser al tirador de la cremallera.

Asa

Con hilo rojo para el panda, verde para el koala, blanco para el gato y marrón para la manzana, 21 cad. flojas.

1.ª v.: 20 p.b. empezando en la 2.ª cad. a partir del ganchillo, girar.

2.ª y 3.ª v.: 1 cad., 20 p.b., girar.

Rematar, dejando una hebra larga. Coser con ella los extremos del asa a la bolsa, a unos 2,5 cm por debajo de la cremallera y con una separación de unos 7,5 cm.

Ojo del gato, del koala
y de la manzana

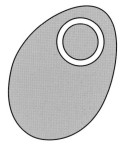

Ojo del panda

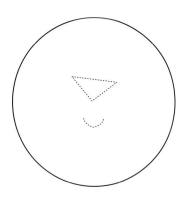

Hocico del gato

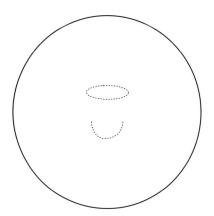

Hocico del panda

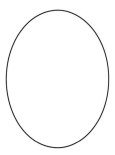

Nariz del koala

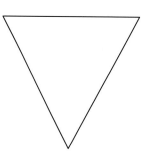

Triángulos del gato

Bolsa Pulpo

Tamaño terminado

Unos 15 cm de alto, sin las patas; 25 cm con las patas

Hace unos años hice una bolsita Pulpo y desde entonces estuve deseando hacer otra mayor. ¡Y aquí está por fin! Tiene un tamaño muy adecuado para ir a jugar con un amiguito: tu pequeño la llenará de juguetes, más un suéter de repuesto o unas galletas para compartir.

Materiales

Hilo grueso en rosa claro (unos 70 m) y rosa fuerte (unos 220 m)

Ganchillo, de 6 mm (J/10)

Trozo pequeño de fieltro para manualidades, negro

Hilo y aguja de coser

Hilo de bordar negro y aguja de bordar

Aguja de tapicería

Cremallera, de 17,5 cm

Mejillas (hacer 2)

1.ª v.: con hilo rosa claro, 2 cad., 5 p.b. en la 2.ª cad. a partir del ganchillo.

2.ª v.: 2 p.b. en cada p.b. hasta el final. (10 p.).

3.ª v.: *1 p.b., 2 p.b. en el p.b. sig.*, rep. 5 veces. (15 p.).

1 p.r. y rematar, dejando una hebra larga para coser. Reservar.

Bolsa/Cuerpo

La bolsa se empieza a tejer por la base.

1.ª v.: con hilo rosa fuerte, 2 cad., 6 p.b. en la 2.ª cad. a partir del ganchillo.

2.ª v.: 2 p.b. en cada p.b. hasta el final. (12 p.).

3.ª v.: *1 p.b., 2 p.b. en el p.b. sig.*, rep. 6 veces. (18 p.).

4.ª v.: *2 p.b., 2 p.b. en el p.b. sig.*, rep. 6 veces. (24 p.).

5.ª v.: *3 p.b., 2 p.b. en el p.b. sig.*, rep. 6 veces. (30 p.).

6.ª v.: *4 p.b., 2 p.b. en el p.b. sig.*, rep. 6 veces. (36 p.).

7.ª v.: *5 p.b., 2 p.b. en el p.b. sig.*, rep. 6 veces. (42 p.).

8.ª v.: *6 p.b., 2 p.b. en el p.b. sig.*, rep. 6 veces. (48 p.).

9.ª v.: *7 p.b., 2 p.b. en el p.b. sig.*, rep. 6 veces. (54 p.).

10.ª v.: *8 p.b., 2 p.b. en el p.b. sig.*, rep. 6 veces. (60 p.).

11.ª v.: *9 p.b., 2 p.b. en el p.b. sig.*, rep. 6 veces. (66 p.).

12.ª v.: *10 p.b., 2 p.b. en el p.b. sig.*, rep. 6 veces. (72 p.).

13.ª a 39.ª v.: 72 p.b.

40.ª v.: *10 p.b., 1 mg.*, rep. 6 veces. (66 p.).

Trabajar ahora la abertura de la cremallera.

41.ª v.: 24 cad., saltar 24 p., 42 p.b.

42.ª v.: 24 p.b. en el espacio de 24 cad., 42 p.b.

Seguir con el cuerpo.

43.ª v.: *9 p.b., 1 mg.*, rep. 6 veces. (60 p.).

44.ª v.: *8 p.b., 1 mg.*, rep. 6 veces. (54 p.).

45.ª v.: *7 p.b., 1 mg.*, rep. 6 veces. (48 p.).

46.ª v.: *6 p.b., 1 mg.*, rep. 6 veces. (42 p.).

Coser la cremallera (ver página 76).

La cara: utilizar el patrón de la derecha para cortar las dos piezas para los ojos de fieltro negro. Sujetando la bolsa por el borde de arriba, coser los ojos en su sitio y bordar la sonrisa. Coser las mejillas en su sitio.

47.ª v.: *5 p.b., 1 mg.*, rep. 6 veces. (36 p.).

48.ª v.: *4 p.b., 1 mg.*, rep. 6 veces. (30 p.).

49.ª v.: *3 p.b., 1 mg.*, rep. 6 veces. (24 p.).

50.ª v.: *2 p.b., 1 mg.*, rep. 6 veces. (18 p.).

51.ª v.: *1 p.b., 1 mg.*, rep. 6 veces. (12 p.).

52.ª v.: mg. 6 veces. (6 p.).

Rematar, dejando una hebra larga para cerrar la abertura de 6 p.

Brazos (hacer 8)

Empezar con el hilo rosa fuerte y alternar 2 v. en rosa fuerte y 2 v. en rosa claro.

1.ª v.: 2 cad., 5 p.b. en la 2.ª cad. a partir del ganchillo.

2.ª v.: 2 p.b. en cada p.b. hasta el final. (10 p.).

3.ª v.: *1 p.b., 2 p.b. en el p.b. sig.*, rep. 5 veces. (15 p.).

4.ª a 18.ª v.: 15 p.

1 p.r. y rematar, dejando una hebra larga. Cerrar con ella la abertura y coser los brazos en la 13.ª v., repartiéndolos por igual alrededor de la base de la bolsa.

Asa

Con el hilo rosa claro, 152 cad. flojas.

1.ª v.: 150 p.m. empezando en la 3.ª cad. a partir del ganchillo, girar.

2.ª v.: 2 cad., 150 p.m., girar.

3.ª v.: 1 cad., 150 p.b.

Rematar, dejando una hebra larga. Coser con ella los extremos del asa en los lados opuestos de la bolsa, en la 37.ª v.

Ojo del pulpo

Bolsa Búho para libros

Tamaño terminado

Unos 25 cm de ancho x 30 cm de alto

Me gusta mucho esta bolsa ¡y yo tengo una! Oli también quiere una (tengo que ponerme a ello) para llevarla al colegio los días en que no tiene que cargar con esos libros grandes y pesados (¡pobres niños de hoy y sus espaldas!). Es perfecta para llevarla en el autobús o a la playa, porque tiene espacio suficiente para un par de revistas, unos libros y muchos lápices para hacer crucigramas.

Materiales

Hilo grueso en azul oscuro y azul claro (unos 190 m de cada) y un poco de blanco y de naranja

Ganchillo, de 6 mm (J/10)

Trozos pequeños de fieltro para manualidades en naranja y negro

Hilo y aguja de coser

Aguja de tapicería

Bolsa

La bolsa se teje en redondo empezando por la base.

Con hilo azul oscuro, 39 cad. flojas.

1.ª v.: 38 p.b. empezando en la presilla trasera de la 2.ª cad. (ver página 74), luego 38 p.b. en las presillas delanteras de las demás cad. (76 p.).

2.ª v.: *3 p.b. en el p.b. sig., 37 p.b.*, rep. 1 vez. (80 p.).

3.ª v.: *(2 p.b. en el p.b. sig.) 3 veces, 37 p.b.*, rep. 1 vez. (86 p.).

4.ª a 6.ª v.: 86 p.b.

7.ª v.: 65 p.b., cambiar a hilo azul claro, 21 p.b.

8.ª a 43.ª v.: empezar por azul claro y alternar 2 v. en azul claro y 2 v. en azul oscuro.

Cambiar a hilo azul claro.

44.ª a 61.ª v.: 86 p.b.

1 p.r. y rematar.

Redondeles para los ojos (hacer 2 de cada color)

Cada ojo se compone de dos redondeles de ganchillo con un disco de fieltro en el centro.

PIEZA EXTERIOR DEL OJO

1.ª v.: con hilo blanco, 2 cad., 5 p.b. en la 2.ª cad. a partir del ganchillo.

2.ª v.: 2 p.b. en cada p.b. hasta el final. (10 p.).

3.ª v.: *1 p.b., 2 p.b. en el p.b. sig.*, rep. 5 veces. (15 p.).

4.ª v.: *2 p.b., 2 p.b. en el p.b. sig.*, rep. 5 veces. (20 p.).

5.ª v.: *3 p.b., 2 p.b. en el p.b. sig.*, rep. 5 veces. (25 p.).

6.ª v.: *4 p.b., 2 p.b. en el p.b. sig.*, rep. 5 veces. (30 p.).

7.ª v.: *5 p.b., 2 p.b. en el p.b. sig.*, rep. 5 veces. (35 p.).

8.ª v.: *6 p.b., 2 p.b. en el p.b. sig.*, rep. 5 veces. (40 p.).

9.ª v.: 40 p.b.

1 p.r. y rematar, dejando una hebra larga para coser. Reservar.

PIEZA INTERMEDIA DEL OJO

1.ª v.: con hilo azul oscuro, 2 cad., 5 p.b. en la 2.ª cad. a partir del ganchillo.

2.ª v.: 2 p.b. en cada p.b. hasta el final. (10 p.).

3.ª v.: *1 p.b., 2 p.b. en el p.b. sig.*, rep. 5 veces. (15 p.).

4.ª v.: *2 p.b., 2 p.b. en el p.b. sig.*, rep. 5 veces. (20 p.).

5.ª v.: *3 p.b., 2 p.b. en el p.b. sig.*, rep. 5 veces. (25 p.).

6.ª v.: *4 p.b., 2 p.b. en el p.b. sig.*, rep. 5 veces. (30 p.).

1 p.r. y rematar, dejando una hebra larga para coser.

PIEZA INTERIOR DEL OJO

Utilizando el patrón de la página siguiente, cortar las piezas para los ojos de fieltro negro y coser cada una en el centro de un redondel azul.

Coser los redondeles azules sobre los blancos ligeramente descentrados y coser cada ojo terminado en su sitio sobre la bolsa.

Pico

Utilizando el patrón, cortar dos rombos de fieltro amarillo, superponerlos y coserlos con una costura alrededor. Doblar el pico por la mitad para marcar un doblez y coserlo por ese doblez sobre la bolsa (¡para que el búho pueda hablar!).

Coser las 2 piezas unidas

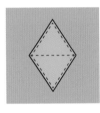

Coser sobre la bolsa

Alas/Bolsillos laterales (hacer 2)

1.ª v.: con hilo azul oscuro, 2 cad., 6 p.b. en la 2.ª cad. a partir del ganchillo.

2.ª v.: 2 p.b. en cada p.b. hasta el final. (12 p.).

3.ª v.: *1 p.b., 2 p.b. en el p.b. sig.*, rep. 6 veces. (18 p.).

4.ª v.: *2 p.b., 2 p.b. en el p.b. sig.*, rep. 6 veces. (24 p.).

5.ª v.: *3 p.b., 2 p.b. en el p.b. sig.*, rep. 6 veces. (30 p.).

6.ª v.: *4 p.b., 2 p.b. en el p.b. sig.*, rep. 6 veces. (36 p.).

7.ª v.: *5 p.b., 2 p.b. en el p.b. sig.*, rep. 6 veces. (42 p.).

8.ª v.: *6 p.b., 2 p.b. en el p.b. sig.*, rep. 6 veces. (48 p.).

9.ª v.: *7 p.b., 2 p.b. en el p.b. sig.*, rep. 6 veces. (54 p.).

10.ª v.: *8 p.b., 2 p.b. en el p.b. sig.*, rep. 6 veces. (60 p.).

11.ª v.: *9 p.b., 2 p.b. en el p.b. sig.*, rep. 6 veces. (66 p.).

12.ª v.: 66 p.b.

13.ª v.: *3 p.b. en el p.b. sig, saltar 1 p.b., 1 p.r.*, rep. hasta el final.

Rematar, dejando una hebra larga para coser. Colocar cada bolsillo a un lado de la bolsa, en la parte baja, de manera que quede la mitad en el frente y la otra mitad en el dorso. Empezando en la 12.ª v. del bolsillo, coser aproximadamente hasta ¾ de su altura, dejando abierta la parte de arriba tanto en el frente como en el dorso.

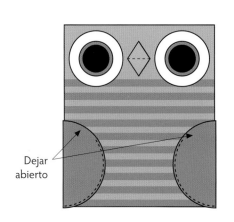

Dejar abierto

Bolsillo interior

Con hilo azul oscuro, 31 cad. flojas.

1.ª v.: 30 p.b. empezando en la 2.ª cad. a partir del ganchillo, girar.

2.ª a 25.ª v.: 1 cad., 30 p.b., girar.

Rematar y coser por dentro de la bolsa, cerrando 3 lados y dejando la parte de arriba abierta.

Asas (hacer 2)

Con hilo naranja y dejando una hebra larga para coser después, 71 cad. flojas.

1.ª v.: 70 p.b. empezando en la 2.ª cad. a partir del ganchillo, girar.

2.ª y 3.ª v.: 1 cad., 70 p.b., girar.

Rematar, dejando una hebra larga para coser.

Medir el ancho del asa. Cortar dos tiras largas de fieltro naranja para forrar las asas (si se utiliza un rectángulo de fieltro para manualidades, se necesita más de una tira). Coser el forro por el revés de cada asa. Coser los extremos de cada asa a unos 7 cm de cada lateral, tanto en el frente como en el dorso de la bolsa.

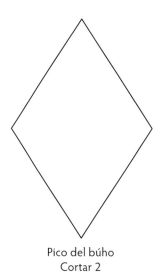

Pico del búho
Cortar 2

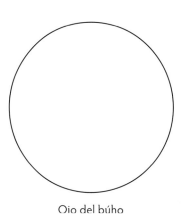

Ojo del búho

Bolsita Seta

Tamaño terminado

Unos 15 cm de alto

¡Esta maravillosa bolsita tiene el tamaño justo para meter dentro unos juguetes pequeños y es tan bonita que se puede llevar a todas partes!

Materiales

Hilo grueso en rojo y en blanco (unos 85 m en total)

Ganchillo, de 6 mm (J/10)

Trozos pequeños de fieltro para manualidades en blanco y negro

Hilo y aguja de coser

Hilo de bordar negro y aguja de bordar

Aguja de tapicería

Cremallera, de 17,5 cm

Bolsita

La bolsita se empieza a tejer por arriba.

1.ª v.: con hilo rojo, 2 cad., 7 p.b. en la 2.ª cad. a partir del ganchillo.

2.ª v.: 2 p.b. en cada p.b. hasta el final. (14 p.).

3.ª v.: *1 p.b., 2 p.b. en el p.b. sig.*, rep. 7 veces. (21 p.).

4.ª v.: *2 p.b., 2 p.b. en el p.b. sig.*, rep. 7 veces. (28 p.).

5.ª v.: *3 p.b., 2 p.b. en el p.b. sig.*, rep. 7 veces. (35 p.).

6.ª v.: *4 p.b., 2 p.b. en el p.b. sig.*, rep. 7 veces. (42 p.).

7.ª v.: *5 p.b., 2 p.b. en el p.b. sig.*, rep. 7 veces. (49 p.).

8.ª v.: *6 p.b., 2 p.b. en el p.b. sig.*, rep. 7 veces. (56 p.).

9.ª a 12.ª v.: 56 p.b.

Ahora se trabaja la abertura de la cremallera.

13.ª v.: 26 cad., saltar 26 p., 30 p.b.

14.ª v.: 26 p.b. en el espacio de 26 cad., 30 p.b. (56 p.).

Seguir con la bolsita.

15.ª a 21.ª v.: 56 p.b.

Coser la cremallera (ver página 76).

22.ª v.: *6 p.b., 1 mg.*, rep. 7 veces. (49 p.).

23.ª v.: *5 p.b., 1 mg.*, rep. 7 veces. (42 p.).

24.ª v.: *4 p.b., 1 mg.*, rep. 7 veces. (35 p.).

25.ª v.: *3 p.b., 1 mg.*, rep. 7 veces. (28 p.).

26.ª v.: *2 p.b., 1 mg.*, rep. 7 veces. (21 p.).

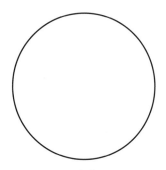

Utilizando el patrón de la derecha, cortar 5 lunares de fieltro blanco y coserlos sobre la seta. Si se desea, se puede cortar uno por la mitad y coser una mitad a cada lado de la cremallera.

Cambiar a hilo blanco.

27.ª a 31.ª v.: 21 p.b.

32.ª v.: *2 p.b., 2 p.b. en el p.b. sig.*, rep. 7 veces. (28 p.).

33.ª v.: 28 p.b.

La cara: utilizar el patrón de la derecha para cortar los ojos de fieltro negro; coserlos sobre la cara y bordar la sonrisa.

34.ª v.: 28 p.b. por las presillas traseras solamente.

35.ª v.: *2 p.b., 1 mg.*, rep. 7 veces. (21 p.).

36.ª v.: *1 p.b., 1 mg.*, rep. 7 veces. (14 p.).

37.ª v.: *saltar 1 p.b., 1 p.b.*, rep. 7 veces. (7 p.).

Rematar, dejando una hebra larga para cerrar la abertura de 7 p.

Asa

Con hilo blanco, 34 cad. flojas.

32 p.a., empezando en la 3.ª cad. a partir del ganchillo.

Rematar, dejando una hebra larga. Coser con ella los extremos del asa, uno con otro, y coserlos en la misma v. de la cremallera.

Lunar de la seta

Ojo de la seta

Bolsa Ballena

Tamaño terminado

Unos 43 cm de largo desde la nariz hasta el final de la cola

Hice esta bolsa pensando en las noches que Oli pasa fuera y en sus visitas a casa de la abuela. ¡Es enorme! Caben muy bien el pijama, ropa extra y el cerdito con el que duerme desde que tenía dos años, ¡sin olvidar el cepillo de dientes!

Materiales

Hilo grueso en azul claro y un poco de azul oscuro, amarillo y blanco (unos 400 m en total)

Ganchillo, de 6 mm (J/10)

Trozos pequeños de fieltro para manualidades en blanco y negro

Hilo y aguja de coser

Aguja de tapicería

Cremallera amarilla, de 30 cm

Un poco de fiberfill u otro relleno

Redondeles de los ojos (hacer 2)

1.ª v.: con hilo azul oscuro, 2 cad., 5 p.b. en la 2.ª cad. a partir del ganchillo.

2.ª v.: 2 p.b. en cada p.b. hasta el final. (10 p.).

3.ª v.: *1 p.b., 2 p.b. en el p.b. sig.*, rep. 5 veces. (15 p.).

4.ª v.: *2 p.b., 2 p.b. en el p.b. sig.*, rep. 5 veces. (20 p.).

5.ª v.: *3 p.b., 2 p.b. en el p.b. sig.*, rep. 5 veces. (25 p.).

6.ª v.: 25 p.b.

1 p.r. y rematar, dejando una hebra larga para coser.

Utilizar el patrón de la página 38 y cortar las piezas para los ojos de fieltro blanco y negro. Siguiendo la fotografía de la página 36, coser las piezas blancas algo descentradas sobre las negras. Coser luego las piezas de los ojos sobre los redondeles azules y reservar.

Cuerpo

1.ª v.: con hilo azul claro, 2 cad., 5 p.b. en la 2.ª cad. a partir del ganchillo.

2.ª v.: 2 p.b. en cada p.b. hasta el final. (10 p.).

3.ª v.: *1 p.b., 2 p.b. en el p.b. sig.*, rep. 5 veces. (15 p.).

4.ª v.: *2 p.b., 2 p.b. en el p.b. sig.*, rep. 5 veces. (20 p.).

5.ª v.: *3 p.b., 2 p.b. en el p.b. sig.*, rep. 5 veces. (25 p.).

6.ª v.: *4 p.b., 2 p.b. en el p.b. sig.*, rep. 5 veces. (30 p.).

7.ª v.: *5 p.b., 2 p.b. en el p.b. sig.*, rep. 5 veces. (35 p.).

8.ª v.: *6 p.b., 2 p.b. en el p.b. sig.*, rep. 5 veces. (40 p.).

9.ª v.: *7 p.b., 2 p.b. en el p.b. sig.*, rep. 5 veces. (45 p.).

10.ª v.: *8 p.b., 2 p.b. en el p.b. sig.*, rep. 5 veces. (50 p.).

11.ª v.: *9 p.b., 2 p.b. en el p.b. sig.*, rep. 5 veces. (55 p.).

12.ª v.: *10 p.b., 2 p.b. en el p.b. sig.*, rep. 5 veces. (60 p.).

13.ª v.: *11 p.b., 2 p.b. en el p.b. sig.*, rep. 5 veces. (65 p.).

14.ª v.: *12 p.b., 2 p.b. en el p.b. sig.*, rep. 5 veces. (70 p.).

15.ª v.: *13 p.b., 2 p.b. en el p.b. sig.*, rep. 5 veces. (75 p.).

16.ª v.: *14 p.b., 2 p.b. en el p.b. sig.*, rep. 5 veces. (80 p.).

17.ª v.: *15 p.b., 2 p.b. en el p.b. sig.*, rep. 5 veces. (85 p.).

18.ª v.: *16 p.b., 2 p.b. en el p.b. sig.*, rep. 5 veces. (90 p.).

19.ª v.: *17 p.b., 2 p.b. en el p.b. sig.*, rep. 5 veces. (95 p.).

20.ª a 24.ª v.: 95 p.b.

Ahora se trabaja la abertura para la cremallera:

25.ª v.: 40 cad., saltar 40 p., 55 p.b.

26.ª v.: 40 p.b. en el espacio de 40 cad., 55 p.b. (95 p.).

Seguir con el cuerpo.

27.ª a 32.ª v.: 95 p.b.

Coser la cremallera (ver página 76); la cremallera será la boca de la ballena.

33.ª a 38.ª v.: 95 p.b.

La cara: coser los ojos en su sitio, rellenándolos un poco.

39.ª a 46.ª v.: 95 p.b.

47.ª v.: *17 p.b., 1 mg.*, rep. 5 veces. (90 p.).

48.ª v.: *16 p.b., 1 mg.*, rep. 5 veces. (85 p.).

49.ª a 51.ª v.: 85 p.

52.ª v.: *15 p.b., 1 mg.*, rep. 5 veces. (80 p.).

53.ª v.: *14 p.b., 1 mg.*, rep. 5 veces. (75 p.).

54.ª y 55.ª v.: 75 p.b.

56.ª v.: *13 p.b., 1 mg.*, rep. 5 veces. (70 p.).

57.ª v.: *12 p.b., 1 mg.*, rep. 5 veces. (65 p.).

58.ª a 61.ª v.: 65 p.b.

62.ª v.: *11 p.b., 1 mg.*, rep. 5 veces. (60 p.).

63.ª v.: *10 p.b., 1 mg.*, rep. 5 veces. (55 p.).

64.ª a 66.ª v.: 55 p.b.

67.ª v.: *9 p.b., 1 mg.*, rep. 5 veces. (50 p.).

68.ª v.: *8 p.b., 1 mg.*, rep. 5 veces. (45 p.).

69.ª a 71.ª v.: 45 p.b.

72.ª v.: *7 p.b., 1 mg.*, rep. 5 veces. (40 p.).

73.ª v.: *6 p.b., 1 mg.*, rep. 5 veces. (35 p.).

74.ª v.: *5 p.b., 1 mg.*, rep. 5 veces. (30 p.).

75.ª v.: *4 p.b., 1 mg.*, rep. 5 veces. (25 p.).

76.ª v.: 25 p.b.

77.ª v.: *3 p.b., 1 mg.*, rep. 5 veces. (20 p.).

78.ª v.: 20 p.b.

79.ª v.: *2 p.b., 1 mg.*, rep. 5 veces. (15 p.).

80.ª v.: *1 p.b., 1 mg.*, rep. 5 veces. (10 p.).

81.ª v.: mg. 5 veces. (5 p.).

Rematar, dejando una hebra larga para coser la abertura de 5 p.

Aletas (hacer 2)

1.ª v.: con hilo azul claro, 2 cad., 5 p.b. en la 2.ª cad. a partir del ganchillo.

2.ª v.: 2 p.b. en cada p.b. hasta el final. (10 p.).

3.ª v.: 10 p.b.

4.ª v.: *1 p.b., 2 p.b. en el p.b. sig.*, rep. 5 veces. (15 p.).

5.ª v.: 15 p.b.

6.ª v.: *2 p.b., 2 p.b. en el p.b. sig.*, rep. 5 veces. (20 p.).

7.ª v.: 20 p.b.

8.ª v.: *3 p.b., 2 p.b. en el p.b. sig.*, rep. 5 veces. (25 p.).

9.ª a 13.ª v.: 25 p.b.

1 p.r. y rematar, dejando una hebra larga. Cerrar con ella la abertura y coser cada aleta a un lado de la ballena, empezando en la 36.ª v.

Cola (hacer 2)

1.ª v.: con hilo azul claro, 2 cad., 5 p.b. en la 2.ª cad. a partir del ganchillo.

2.ª v.: 2 p.b. en cada p.b. hasta el final. (10 p.).

3.ª v.: 10 p.b.

4.ª v.: *1 p.b., 2 p.b. en el p.b. sig.*, rep. 5 veces. (15 p.).

5.ª v.: 15 p.b.

6.ª v.: *2 p.b., 2 p.b. en el p.b. sig.*, rep. 5 veces. (20 p.).

7.ª a 12.ª v.: 20 p.b.

13.ª v.: *2 p.b., 1 mg.*, rep. 5 veces. (15 p.).

14.ª v.: *1 p.b., 1 mg.*, rep. 5 veces. (10 p.).

15.ª v.: 10 p.b.

1 p.r. y rematar, dejando una hebra larga. Cerrar con ella la abertura y coser las dos colas una con otra por las 3 últimas v.; después, coserlas unidas al extremo del cuerpo.

Asa

Con hilo amarillo, 61 cad. flojas.

1.ª v.: 60 p.b. empezando en la 2.ª cad. a partir del ganchillo, girar.

2.ª a 5.ª v.: 60 p.b., girar.

Rematar (o ver la opción en la página siguiente), dejando una hebra larga. Coser con ella el asa arriba del cuerpo de la ballena, un extremo en la 22.ª v. y el otro en la 48.ª v.

Surtidor de agua

Con hilo blanco, *18 cad., p.r. en la 1.ª cad.*, rep. 3 veces. (3 pres.). Rematar y coser en lo alto del cuerpo de la ballena, en la 20.ª v.

Rayas de la parte inferior

Con la aguja de tapicería e hilo grueso amarillo, bordar las rayas de lado a lado a punto atrás, empezando 2 v. por debajo de la cremallera. Bordar las rayas cada 2 v., reduciendo su longitud al acercarse a la cola. Mi ballena tiene 27 rayas amarillas en la parte inferior.

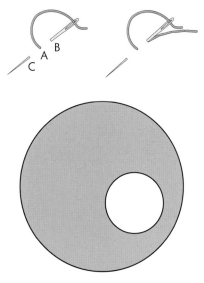

Ojo de la ballena

Reforzar el asa (optativo)

Para que el asa resultara más duradera, entretejí la hebra ida y vuelta entre las vueltas de punto bajo. Para hacerlo, no hay que rematar la hebra. Cortar la hebra dándole 4 veces el largo del asa más 20 cm. Enhebrar el extremo en una aguja de tapicería y, trabajando de izquierda a derecha, entretejer el cabo por debajo de la última vuelta de p.b. recién terminada, pasando por debajo de un p. y por encima del siguiente. Al terminar la vuelta, girar y trabajar de derecha a izquierda, tejiendo la vuelta siguiente de p.b., pero alternando las pasadas por encima y por debajo con las del primer recorrido. Seguir entretejiendo por debajo de las 2 vueltas siguientes; en total, se pasan 4 vueltas. Rematar, dejando una hebra larga para coser el asa.

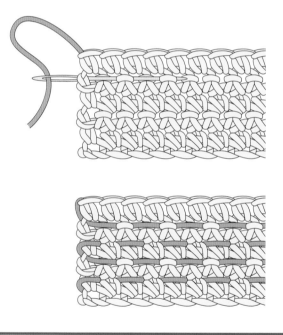

Bolsita Búho

Tamaño terminado

Unos 17,5 cm de alto

Me encantan los búhos y ¡no hay nada mejor que llevar consigo uno pequeño a todas partes!

Materiales

Hilo grueso en tostado, marrón, naranja y amarillo (unos 175 m en total)

Ganchillo, de 6 mm (J/10)

Trozo de fieltro negro

Hilo y aguja de coser

Aguja de tapicería

Cremallera, de 17,5 cm

Redondeles de los ojos (hacer 2)

1.ª v.: con hilo amarillo, 3 cad., 6 p.m. en la 3.ª cad. a partir del ganchillo.

2.ª v.: 2 p.m. en cada p.m. hasta el final. (12 p.).

3.ª v.: *1 p.m., 2 p.m. en el p.m. sig.*, rep. 6 veces. (18 p.).

4.ª v.: *2 p.m., 2 p.m. en el p.m. sig.*, rep. 6 veces. (24 p.).

1 p.r. y rematar, dejando una hebra larga para coser. Utilizar el patrón de la página 42 y cortar las piezas para los ojos de fieltro negro; coserlas en el centro de los redondeles. Reservar.

Bolsita

La bolsita se empieza a tejer por arriba.

1.ª v.: con hilo marrón, 2 cad., 7 p.b. en la 2.ª cad. a partir del ganchillo.

2.ª v.: 2 p.b. en cada p.b. hasta el final. (14 p.).

3.ª v.: *1 p.b., 2 p.b. en el p.b. sig.*, rep. 7 veces. (21 p.).

4.ª v.: *2 p.b., 2 p.b. en el p.b. sig.*, rep. 7 veces. (28 p.).

5.ª v.: *3 p.b., 2 p.b. en el p.b. sig.*, rep. 7 veces. (35 p.).

6.ª v.: *4 p.b., 2 p.b. en el p.b. sig.*, rep. 7 veces. (42 p.).

7.ª v.: *5 p.b., 2 p.b. en el p.b. sig.*, rep. 7 veces. (49 p.).

8.ª a 11.ª v.: 49 p.b.

Ahora se trabaja la abertura de la cremallera.

12.ª v.: 22 cad., saltar 22 p., 27 p.b.

13.ª v.: 22 p.b. en el espacio de 22 cad., 27 p.b. (49 p.).

Seguir con la bolsita.

14.ª y 15.ª v.: 49 p.b.

Cambiar a tostado.

16.ª a 23.ª v.: 49 p.b.

La cara: situar los redondeles de los ojos uno junto a otro, de manera que una mitad quede sobre la parte marrón y la otra mitad sobre la parte de color tostado; coserlos. Bordar el pico entre los ojos con hilo grueso de color naranja.

Coser la cremallera (ver página 76).

24.ª v.: *6 p.b., 2 p.b. en el p.b. sig.*, rep. 7 veces. (56 p.).

25.ª a 36.ª v.: 56 p.b.

37.ª v.: *6 p.b., 1 mg.*, rep. 7 veces. (49 p.).

38.ª v.: *5 p.b., 1 mg.*, rep. 7 veces. (42 p.).

39.ª v.: *4 p.b., 1 mg.*, rep. 7 veces. (35 p.).

40.ª v.: *3 p.b., 1 mg.*, rep. 7 veces. (28 p.).

41.ª v.: *2 p.b., 1 mg.*, rep. 7 veces. (21 p.).

42.ª v.: *1 p.b., 1 mg.*, rep. 7 veces. (14 p.).

43.ª v.: *saltar 1 p.b., 1 p.b.*, rep. 7 veces. (7 p.).

Rematar, dejando una hebra larga para coser la abertura de 7 p.

Alas (hacer 2)

1.ª v.: con hilo marrón, 2 cad., 8 p.b. en la 2.ª cad. a partir del ganchillo.

2.ª v.: 2 p.b. en cada p.b. hasta el final. (16 p.).

3.ª a 14.ª v.: 16 p.b.

Rematar, dejando una hebra larga. Cerrar con ella la abertura y coser cada ala sobre la última v. de color marrón.

Asa

Con hilo naranja y dejando una hebra larga para coser después, 81 cad. flojas, girar.

80 p.b. empezando en la 2.ª cad. a partir del ganchillo.

Rematar, dejando una hebra larga. Coser con ella cada extremo del asa a un lado de la bolsita, 2 v. por encima de las alas.

Ojo del búho

Bolsa Pez

Tamaño terminado

Unos 30 cm desde la nariz hasta el final de la cola

Martina es una enamorada de los peces y cuando yo estaba tejiendo la bolsa Ballena me rogaba y suplicaba que le hiciera una de pez! ¡No podía defraudarla! Se pueden elegir los colores que se prefiera, ¡aunque no se correspondan con los que tienen los peces reales!

Materiales

Hilo grueso en azul y verde (unos 150 m en total)

Ganchillo, de 6 mm (J/10)

Trozo pequeño de fieltro para manualidades en negro

Hilo y aguja de coser

Hilo de bordar negro y aguja de bordar

Aguja de tapicería

Botón, de 2,5 cm de diámetro

Un poco de fiberfill u otro relleno

Redondeles de los ojos (hacer 2)

1.ª v.: con hilo azul, 2 cad., 5 p.b. en la 2.ª cad. a partir del ganchillo.

2.ª v.: 2 p.b. en cada p.b. hasta el final. (10 p.).

3.ª v.: *1 p.b., 2 p.b. en el p.b. sig.*, rep. 5 veces. (15 p.).

4.ª v.: *2 p.b., 2 p.b. en el p.b. sig.*, rep. 5 veces. (20 p.).

5.ª v.: *3 p.b., 2 p.b. en el p.b. sig.*, rep. 5 veces. (25 p.).

6.ª v.: 25 p.b.

1 p.r. y rematar, dejando una hebra larga para coser. Utilizar el patrón de la página 46 y cortar las piezas para los ojos de fieltro negro; coserlas en el centro de los redondeles. Reservar.

Bolsa/Cuerpo

Se empieza a tejer por la nariz.

1.ª v.: con hilo verde, 2 cad., 5 p.b. en la 2.ª cad. a partir del ganchillo.

2.ª v.: 2 p.b. en cada p.b. hasta el final. (10 p.).

3.ª v.: *1 p.b., 2 p.b. en el p.b. sig.*, rep. 5 veces. (15 p.).

4.ª v.: *2 p.b., 2 p.b. en el p.b. sig.*, rep. 5 veces. (20 p.).

5.ª v.: *3 p.b., 2 p.b. en el p.b. sig.*, rep. 5 veces. (25 p.).

6.ª v.: 25 p.b.

7.ª v.: *4 p.b., 2 p.b. en el p.b. sig.*, rep. 5 veces. (30 p.).

8.ª v.: 30 p.b.

9.ª v.: *5 p.b., 2 p.b. en el p.b. sig.*, rep. 5 veces. (35 p.).

10.ª v.: 35 p.b.

11.ª v.: *6 p.b., 2 p.b. en el p.b. sig.*, rep. 5 veces. (40 p.).

12.ª v.: 40 p.b.

13.ª v.: *7 p.b., 2 p.b. en el p.b. sig.*, rep. 5 veces. (45 p.).

14.ª v.: 45 p.b.

15.ª v.: *8 p.b., 2 p.b. en el p.b. sig.*, rep. 5 veces. (50 p.).

16.ª v.: 50 p.b.

17.ª v.: *9 p.b., 2 p.b. en el p.b. sig.*, rep. 5 veces. (55 p.).

18.ª v.: 55 p.b.

19.ª v.: *10 p.b., 2 p.b. en el p.b. sig.*, rep. 5 veces. (60 p.).

La cara: coser los redondeles de los ojos en su sitio, rellenándolos un poco. Bordar la sonrisa.

Cambiar a la hebra azul.

20.ª v.: *11 p.b., 2 p.b. en el p.b. sig.*, rep. 5 veces. (65 p.).

21.ª v.: 65 p.b.

Empezar por hilo verde y alternar 1 v. en verde y 2 v. en azul, terminando la última v. con azul.

22.ª v.: 32 p.b., 8 cad., 33 p.b. (de este modo ya se ha hecho la presilla para el botón).

Ahora se hace la abertura. En lugar de cremallera, esta bolsa se abrocha con botón y presilla.

23.ª v.: 22 p.b., 21 cad., saltar 21 p., 22 p.b.

24.ª v.: 22 p.b., 21 p.b. en el espacio de 21 cad., 22 p.b. (65 p.).

Seguir con el cuerpo.

25.ª a 31.ª v.: 65 p.b.

32.ª v.: *11 p.b., 1 mg.*, rep. 5 veces. (60 p.).

33.ª v.: *10 p.b., 1 mg.*, rep. 5 veces. (55 p.).

34.ª v.: *9 p.b., 1 mg.*, rep. 5 veces. (50 p.).

35.ª v.: *8 p.b., 1 mg.*, rep. 5 veces. (45 p.).

36.ª y 37.ª v.: 45 p.b.

38.ª v.: *7 p.b., 1 mg.*, rep. 5 veces. (40 p.).

39.ª v.: 40 p.b.

40.ª v.: *6 p.b., 1 mg.*, rep. 5 veces. (35 p.).

41.ª v.: 35 p.b.

42.ª v.: *5 p.b., 1 mg.*, rep. 5 veces. (30 p.).

43.ª v.: *4 p.b., 1 mg.*, rep. 5 veces. (25 p.).

44.ª v.: *3 p.b., 1 mg.*, rep. 5 veces. (20 p.).

45.ª v.: *2 p.b., 1 mg.*, rep. 5 veces. (15 p.).

46.ª v.: *1 p.b., 1 mg.*, rep. 5 veces. (10 p.).

47.ª v.: mg. 5 veces. (5 p.).

Rematar, dejando una hebra larga para coser la abertura de 5 p.

Aletas (hacer 2)

1.ª v.: con hilo verde, 2 cad., 6 p.b. en la 2.ª cad. a partir del ganchillo.

2.ª v.: 2 p.b. en cada p.b. hasta el final. (12 p.).

3.ª v.: *1 p.b., 2 p.b. en el p.b. sig.*, rep. 6 veces. (18 p.).

4.ª a 8.ª v.: 18 p.b.

9.ª v.: *1 p.b., 1 mg.*, rep. 6 veces. (12 p.).

10.ª v.: 12 p.b.

11.ª v.: mg. 6 veces. (6 p.).

Rematar, dejando una hebra larga. Utilizar la hebra para cerrar la abertura y coser cada aleta a un lado del cuerpo, en la 24.ª v.

Cola (hacer 2)

1.ª v.: con hilo verde, 2 cad., 5 p.b. en la 2.ª cad. a partir del ganchillo.

2.ª v.: 2 p.b. en cada p.b hasta el final. (10 p.).

3.ª v.: 10 p.b.

4.ª v.: *1 p.b., 2 p.b. en el p.b. sig.*, rep. 5 veces. (15 p.).

5.ª v.: 15 p.b.

6.ª v.: *2 p.b., 2 p.b. en el p.b. sig.*, rep. 5 veces. (20 p.).

7.ª a 9.ª v.: 20 p.b.

10.ª v.: *2 p.b., 1 mg.*, rep. 5 veces. (15 p.).

11.ª v.: 15 p.b.

12.ª v.: *1 p.b., 1 mg.*, rep. 5 veces. (10 p.).

13.ª v.: 10 p.b.

14.ª v.: mg. 5 veces. (5 p.).

Rematar, dejando una hebra larga. Cerrar con ella la abertura y coser las 2 colas, una con otra, por las 2 últimas v.; coser la cola unida al final del cuerpo.

Asa

Con hilo azul y dejando una hebra larga para coser, 91 cad. flojas, girar.

1.ª v.: 90 p.b. empezando en la 2.ª cad. a partir del ganchillo, girar.

2.ª v.: 1 cad., 90 p.b.

Rematar, dejando una hebra larga. Coser con ella los extremos del asa arriba del cuerpo, uno en la 20.ª v. y otro en la 39.ª v.

Coser el botón en la 28.ª v., enfrentado con la presilla.

Ojo del pez

Bolsa Oso en azul

Tamaño terminado

Unos 20 cm de alto x 23 cm de ancho y 4,3 cm de fondo

> Esta bolsa la hice pensando en lo que me gustaba de pequeña. Entonces tenía una pequeña cartera de mensajero hecha de tela vaquera; me encantaba y la llevaba a todas partes. Esta es una versión actualizada, con una cara de osito, y ¡a Oli le entusiasma!

Materiales

Hilo grueso en azul y tostado (unos 460 m en total)

Ganchillo, de 6 mm (J/10)

Trozos pequeños de fieltro para manualidades en tostado y negro

Hilo y aguja de coser

Hilo de bordar negro y aguja de bordar

Aguja de tapicería

Fiberfill u otro relleno

2 botones de madera, de 2,5 cm de diámetro (optativo, para adornar)

Bolsa

Todas las piezas de la bolsa se tejen ida y vuelta.

Todas las piezas se tejen con hilo azul.

BOLSILLOS DEL DORSO Y DEL FRENTE (HACER 2)

26 cad. flojas.

1.ª v.: 25 p.b. empezando en la 2.ª cad. a partir del ganchillo, girar.

2.ª a 25.ª v.: 1 cad., 25 p.b., girar.

Rematar y reservar.

FRENTE

35 cad. flojas.

1.ª v.: 34 p.b. empezando en la 2.ª cad. a partir del ganchillo, girar.

2.ª a 35.ª v.: 1 cad., 34 p.b., girar.

Rematar, dejando una hebra larga para coser. Empezando a unas 5 vueltas de arriba, coser los laterales y el fondo del primer bolsillo sobre el revés del frente.

SOLAPA DEL FRENTE Y DORSO

Trabajar igual que el frente hasta la 27.ª v.

Ahora se deja la abertura para el bolsillo del dorso.

28.ª v.: 1 cad., 6 p.b., 22 cad., saltar 22 p., 6 p.b., girar.

29.ª v.: 1 cad., 6 p.b., 22 p.b. en el espacio de 22 cad., 6 p.b., girar. (34 p.).

Seguir con el dorso.

30.ª a 36.ª v.: 1 cad., 34 p.b., girar.

Coser el segundo bolsillo en su sitio.

Alinear la 1.ª v. del bolsillo con la parte de arriba de la abertura (27.ª v.) y coser los 4 lados del rectángulo.

37.ª a 74.ª v.: 1 cad., 34 p.b., girar.

75.ª v.: 1 p.b. en el 2.º p.b., 30 p.b., saltar 1 p.b., 1 p.b. (32 p.).

76.ª v.: 1 p.b. en el 2.º p.b., 28 p.b., saltar 1 p.b., 1 p.b. (30 p.).

Rematar y reservar.

BASE

35 cad. flojas.

1.ª v.: 34 p.b. empezando en la 2.ª cad. a partir del ganchillo, girar.

2.ª a 7.ª v.: 1 cad., 34 p.b., girar.

Rematar y reservar.

LATERALES
(HACER 2)

27 cad. flojas.

1.ª v.: 26 p.b. empezando en la 2.ª cad. a partir del ganchillo, girar.

2.ª a 7.ª v.: 1 cad., 26 p.b., girar.

Rematar y reservar.

MONTAR LAS PIEZAS

Con hilo azul y la aguja de tapicería, poner las piezas revés con revés y coserlas a punto por encima (ver página 76) para unir la base y los laterales con el frente de la bolsa. Coser luego los extremos cortos de la base con los laterales. Por último, coser el dorso de la bolsa con el conjunto.

ASA

Con hilo azul, 103 cad. flojas.

1.ª v.: 102 p.b. empezando en la 2.ª cad. a partir del ganchillo, girar.

2.ª a 7.ª v.: 1 cad., 102 p.b., girar.

Rematar, dejando una hebra larga. Coser con ella un extremo del asa en la parte de arriba de cada lateral. Si se desea, puede añadirse un botón de madera decorativo encima de cada unión.

Cara del oso

1.ª v.: con hilo tostado, 2 cad., 5 p.b. en la 2.ª cad. a partir del ganchillo.

2.ª v.: 2 p.b. en cada p.b. hasta el final. (10 p.).

3.ª v.: *1 p.b., 2 p.b. en el p.b. sig.*, rep. 5 veces. (15 p.).

4.ª v.: *2 p.b., 2 p.b. en el p.b. sig.*, rep. 5 veces. (20 p.).

5.ª v.: *3 p.b., 2 p.b. en el p.b. sig.*, rep. 5 veces. (25 p.).

6.ª v.: *4 p.b., 2 p.b. en el p.b. sig.*, rep. 5 veces. (30 p.).

7.ª v.: *5 p.b., 2 p.b. en el p.b. sig.*, rep. 5 veces. (35 p.).

8.ª v.: *6 p.b., 2 p.b. en el p.b. sig.*, rep. 5 veces. (40 p.).

9.ª v.: *7 p.b., 2 p.b. en el p.b. sig.*, rep. 5 veces. (45 p.).

10.ª v.: *8 p.b., 2 p.b. en el p.b. sig.*, rep. 5 veces. (50 p.).

11.ª v.: *9 p.b., 2 p.b. en el p.b. sig.*, rep. 5 veces. (55 p.).

12.ª y 13.ª v.: 55 p.b.

1 p.r. y rematar, dejando una hebra larga para coser.

Utilizar el patrón de la página siguiente para cortar el hocico de fieltro tostado.

Bordar la nariz y la sonrisa. Cortar las piezas para los ojos de fieltro negro. Coser el hocico y los ojos en su sitio.

Centrar la cara en el frente de la bolsa, coser alrededor dejando una abertura para rellenar un poco; terminar de coser.

Orejas (hacer 2)

1.ª v.: con hilo tostado, 2 cad., 5 p.b. en la 2.ª cad. a partir del ganchillo.

2.ª v.: 2 p.b. en cada p.b. hasta el final. (10 p.).

3.ª y 4.ª v.: 10 p.b.

Rematar, dejando una hebra larga. Coser con ella cada oreja en su sitio.

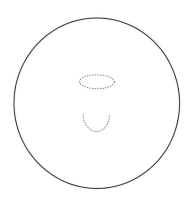

Hocico del oso

Ojo del oso

Bolsas para la merienda
Cupcake y Mariquita

Tamaño terminado

Cupcake: unos 14,5 cm de alto
Mariquita: unos 12,5 cm de alto

> En estas bolsas se lleva muy bien la comida y son mejores que las bolsitas de papel o de plástico (¡y además son mucho más monas!).

Materiales

Cupcake: hilo grueso en rosa, tostado y un poco de rojo (unos 110 m en total)

Mariquita: hilo grueso en rojo, negro y blanco (unos 110 m en total)

Ganchillo, de 6 mm (J/10)

Trozo pequeño de fieltro para manualidades en negro

Hilo y aguja de coser

Hilo de bordar negro y aguja de bordar

Aguja de tapicería

Un poco de fiberfill u otro relleno

Cupcake

Se empieza a tejer por la base de la bolsa.

1.ª v.: con hilo tostado, 2 cad., 6 p.b. en la 2.ª cad. a partir del ganchillo.

2.ª v.: 2 p.b. en cada p.b. hasta el final. (12 p.).

3.ª v.: *1 p.b., 2 p.b. en el p.b. sig.*, rep. 6 veces. (18 p.).

4.ª v.: *2 p.b., 2 p.b. en el p.b. sig.*, rep. 6 veces. (24 p.).

5.ª v.: *3 p.b., 2 p.b. en el p.b. sig.*, rep. 6 veces. (30 p.).

6.ª v.: *4 p.b., 2 p.b. en el p.b. sig.*, rep. 6 veces. (36 p.).

7.ª v.: *5 p.b., 2 p.b. en el p.b. sig.*, rep. 6 veces. (42 p.).

8.ª v.: *6 p.b., 2 p.b. en el p.b. sig.*, rep. 6 veces. (48 p.).

9.ª v.: *7 p.b., 2 p.b. en el p.b. sig.*, rep. 6 veces. (54 p.).

10.ª v.: *8 p.b., 2 p.b. en el p.b. sig.*, rep. 6 veces. (60 p.).

11.ª v.: solo por las presillas traseras: *8 p.b., 1 mg.*, rep. 6 veces. (54 p.).

12.ª v.: *8 p.b., 2 p.b. en el p.b. sig.*, rep. 6 veces. (60 p.).

13.ª a 20.ª v.: 60 p.b.

La cara: utilizar el patrón de la página siguiente para cortar las piezas para los ojos de fieltro negro y coserlas en su sitio. Bordar la sonrisa.

Cambiar a hilo rosa.

21.ª v.: 60 p.b. solo por las presillas delanteras.

22.ª v.: 60 p.m. solo por las presillas traseras.

23.ª a 26.ª v.: 60 p.m.

27.ª v.: *8 p.m., 1 mg. a p.m.*, rep. 6 veces. (54 p.).

28.ª v.: *7 p.m., 1 mg. a p.m.*, rep. 6 veces. (48 p.).

29.ª v.: *6 p.m., 1 mg. a p.m.*, rep. 6 veces. (42 p.).

30.ª v.: *5 p.m., 1 mg. a p.m.*, rep. 6 veces. (36 p.).

31.ª v.: *4 p.m., 1 mg. a p.m.*, rep. 6 veces. (30 p.).

32.ª y 33.ª v.: 30 p.b.

34.ª v.: 1 p.m., *1 cad., saltar 1 p.m., 1 p.m.*, rep. hasta el final, 1 p.r.

Rematar.

BORDE A ONDAS

Unir el hilo rosa a una de las presillas delanteras que se dejaron en la 22.ª v.

4 cad., 2 p.b. en el p.m. sig., saltar 1 p.m., 1 p.r., *3 p.m. en el p.m. sig., saltar 1 p.m., 1 p.r.*, rep. hasta el final; 1 p.r. y rematar.

CORDÓN

Con hilo rosa, 71 cad. flojas.

70 p.r. empezando en la 2.ª cad. a partir del ganchillo.

Rematar. Pasar luego el cordón entretejiéndolo por los espacios de 1 cad. de arriba de la bolsa. Tirar de los extremos para cerrar la bolsa.

CEREZAS (HACER 2)

1.ª v.: con hilo rojo, 2 cad., 6 p.b. en la 2.ª cad. a partir del ganchillo.

2.ª v.: 2 p.b. en cada p. hasta el final. (12 p.).

3.ª a 6.ª v.: 12 p.b.

Rellenar un poco.

7.ª v.: mg. 6 veces. (6 p.).

Rematar, dejando una hebra larga para coser. Rellenar un poco más y coser una cereza en cada extremo del cordón.

Mariquita

Empezar por los redondeles de los ojos.

REDONDELES DE LOS OJOS (HACER 2)

1.ª v.: con hilo blanco, 2 cad., 5 p.b. en la 2.ª cad. a partir del ganchillo.

2.ª v.: 2 p.b. en cada p. hasta el final. (10 p.).

3.ª y 4.ª v.: 10 p.b.

1 p.r. y rematar, dejando una hebra larga para coser.

Con el patrón de la página siguiente, cortar las piezas de los ojos de fieltro negro, coser una en el centro de cada redondel y reservar.

BOLSA/CUERPO

1.ª v.: con hilo negro, 2 cad., 6 p.b. en la 2.ª cad. a partir del ganchillo.

2.ª v.: 2 p.b. en cada p.b. hasta el final. (12 p.).

3.ª v.: *1 p.b., 2 p.b. en el p.b. sig.*, rep. 6 veces. (18 p.).

4.ª v.: *2 p.b., 2 p.b. en el p.b. sig.*, rep. 6 veces. (24 p.).

5.ª v.: *3 p.b., 2 p.b. en el p.b. sig.*, rep. 6 veces. (30 p.).

6.ª v.: *4 p.b., 2 p.b. en el p.b. sig.*, rep. 6 veces. (36 p.).

7.ª v.: *5 p.b., 2 p.b. en el p.b. sig.*, rep. 6 veces. (42 p.).

8.ª v.: *6 p.b., 2 p.b. en el p.b. sig.*, rep. 6 veces. (48 p.).

9.ª v.: *7 p.b., 2 p.b. en el p.b. sig.*, rep. 6 veces. (54 p.).

10.ª v.: *8 p.b., 2 p.b. en el p.b. sig.*, rep. 6 veces. (60 p.).

11.ª a 18.ª v.: 60 p.b.

Cambiar a hilo rojo.

19.ª y 20.ª v.: 60 p.m.

La cara: coser los ojos en su sitio y bordar la sonrisa.

21.ª y 22.ª v.: 60 p.m.

23.ª v.: *8 p.m., 1 mg. a p.m.*, rep. 6 veces. (54 p.).

24.ª v.: *7 p.m., 1 mg. a p.m.*, rep. 6 veces. (48 p.).

25.ª v.: *6 p.m., 1 mg. a p.m.*, rep. 6 veces. (42 p.).

26.ª v.: *5 p.m., 1 mg. a p.m.*, rep. 6 veces. (36 p.).

27.ª v.: *4 p.m., 1 mg. a p.m.*, rep. 6 veces. (30 p.).

28.ª y 29.ª v.: 30 p.m.

30.ª v.: 1 p.m., *1 cad., saltar 1 p.m., 1 p.m.*, rep. hasta el final, 1 p.r.

Rematar y entretejer los cabos sueltos.

Con hilo negro y ganchillo, hacer una fila de cadeneta (ver más abajo) en medio de la sección roja, entre los ojos. Con la hebra por dentro de la bolsa, insertar el ganchillo en 1 p. de la última v. de la sección negra, hebra y sacarla hacia el frente. *Insertar el ganchillo en el p. sig. de la v. de más arriba, hebra y sacarla por la presilla del ganchillo. Repetir desde * hasta la 2.ª v. a partir de arriba. Rematar. Hacer otra fila del mismo modo por el dorso de la bolsa.

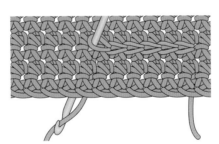

LUNARES (HACER 10)

1.ª v.: con hilo negro, 2 cad., 5 p.b. en la 2.ª cad. a partir del ganchillo.

2.ª v.: 2 p.b. en cada p.b. hasta el final. (10 p.).

1 p.r. y rematar, dejando una hebra larga. Coser con ella los lunares sobre la sección roja.

CORDÓN

Con hilo rojo, 71 cad. flojas; 70 p.r. empezando en la 2.ª cad. a partir del ganchillo.

Rematar. Pasar el cordón entretejiéndolo por los espacios de 1 cad. arriba de la bolsa. Tirar de los extremos para cerrar la bolsa.

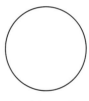

Ojo del cupcake

Ojo de la mariquita

Mini bolsa deportiva a todo color

Tamaño terminado

Unos 12,5 cm de alto x 22,5 cm de ancho

Este estuche lo hice para Oli, que es una buena estudiante y siempre está leyendo; además, es presumida y le gustan las "cosas bonitas". Me asombra lo deprisa que crece. ¡No puedo creer que ya tenga en casa a una pequeña adolescente a la que le gusta pintarse las uñas! Yo aún la veo como una niña pequeña (y lo es, después de todo) y por eso le añadí esta cara de osito.

Materiales

Hilo grueso en azul, amarillo, naranja, rojo, rosa, verde, gris y marrón (unos 220 m en total)

Ganchillo, de 6 mm (J/10)

Trozo pequeño de fieltro para manualidades en tostado

Hilo de bordar negro y aguja de bordar

Ojos de plástico de 6 mm con dorso de seguridad

Aguja de tapicería

Un poco de fiberfill u otro relleno

Cremallera, de 25 cm de largo

Bolsa

Empezar con hilo azul y alternar 3 filas en azul, amarillo, naranja, rojo, rosa, verde y gris. La bolsa se teje ida y vuelta.

33 cad. flojas.

1.ª v.: 32 p.b. empezando en la 2.ª cad. a partir del ganchillo, girar.

2.ª a 66.ª v.: 1 cad., 32 p.b., girar.

Rematar.

Laterales (hacer 2)

1.ª v.: con hilo azul y trabajando en redondo, 2 cad., 5 p.b. en la 2.ª cad. a partir del ganchillo.

2.ª v.: 2 p.b. en cada p.b. hasta el final. (10 p.b.).

3.ª v.: *1 p.b., 2 p.b. en el p.b. sig.*, rep. 5 veces. (15 p.).

4.ª v.: *2 p.b., 2 p.b. en el p.b. sig.*, rep. 5 veces. (20 p.).

5.ª v.: *3 p.b., 2 p.b. en el p.b. sig.*, rep. 5 veces. (25 p.).

6.ª v.: *4 p.b., 2 p.b. en el p.b. sig.*, rep. 5 veces. (30 p.).

7.ª v.: *5 p.b., 2 p.b. en el p.b. sig.*, rep. 5 veces. (35 p.).

8.ª v.: *6 p.b., 2 p.b. en el p.b. sig.*, rep. 5 veces. (40 p.).

9.ª v.: *7 p.b., 2 p.b. en el p.b. sig.*, rep. 5 veces. (45 p.).

10.ª v.: *8 p.b., 2 p.b. en el p.b. sig.*, rep. 5 veces. (50 p.).

11.ª v.: 50 p.b.

Rematar, dejando una hebra larga para coser.

Montar las piezas

Con hilo azul y poniendo las piezas derecho con derecho, coser los laterales a la bolsa a punto por encima (ver página 76), dejando la parte de arriba abierta para la cremallera. Coser la cremallera en su sitio (ver página 76).

El asa

Con hilo azul, trabajar ida y vuelta; dejar una hebra larga para coser y hacer 81 cad. flojas.

1.ª v.: 80 p.b. empezando en la 2.ª cad. a partir de ganchillo, girar.

2.ª a 5.ª v.: 1 p.b., 80 p.b., girar.

Rematar, dejando una hebra larga. Coser con ella un extremo del asa a cada lado de la bolsa, 3 v. por debajo de la abertura para la cremallera.

Cabeza de osito

Utilizar hilo marrón.

CABEZA

Se empieza a tejer en lo alto de la cabeza y se trabaja en redondo.

1.ª v.: 2 cad., 5 p.b. en la 2.ª cad. a partir del ganchillo.

2.ª v.: 2 p.b. en cada p.b. hasta el final. (10 p.).

3.ª v.: *1 p.b., 2 p.b. en el p.b. sig.*, rep. 5 veces. (15 p.).

4.ª v.: *2 p.b., 2 p.b. en el p.b. sig.*, rep. 5 veces. (20 p.).

5.ª a 9.ª v.: 20 p.b.

La cara: utilizar el patrón de la derecha para cortar el hocico de fieltro tostado.

Bordar la nariz y la sonrisa.

Colocar y fijar los ojos de plástico con dorso de seguridad.

10.ª v.: *2 p.b., 1 mg.*, rep. 5 veces. (15 p.).

11.ª v.: *1 p.b., 1 mg.*, rep. 5 veces. (10 p.).

Rellenar la cabeza.

12.ª v.: mg. 5 veces. (5 p.).

Rematar.

OREJAS (HACER 2)

2 cad., 7 p.b. en la 2.ª cad. a partir del ganchillo.

Rematar, dejando una hebra larga. Coser con ella las orejas a la cabeza.

Pasar una hebra por arriba de la cabeza del osito (hacerlo con ayuda de un ganchillo), atarla al tirador de la cremallera y anudar.

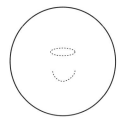

Hocico del osito

Cubremanzanas

Tamaño terminado

Unos 7,5 cm

Las manzanas a veces tienen frío, ¿sabéis? Bueno, en realidad no, pero estos "suéters" las protegen de los golpes que se pueden llevar en las mochilas cuando van al cole. A lo mejor una de estas fundas es un buen regalo para la profesora, ¿no os parece?

Materiales

Hilo grueso en gris, rosa, naranja, amarillo y azul (unos 44 m por funda)

Ganchillo, de 4 mm (G/6)

Trozos pequeños de fieltro para manualidades en blanco, tostado y negro

Hilo de bordar negro, marrón y rosa y aguja de bordar

Aguja de tapicería

Botón, de 1,75 cm de diámetro

Funda

La funda se empieza a tejer por abajo.

1.ª v.: con hilo gris, rosa, naranja, amarillo o azul, 2 cad., 6 p.b. en la 2.ª cad. a partir del ganchillo.

2.ª v.: 2 p.b. en cada p.b. hasta el final. (12 p.).

3.ª v.: *1 p.b., 2 p.b. en el p.b. sig.*, rep. 6 veces. (18 p.).

4.ª v.: *2 p.b., 2 p.b. en el p.b. sig.*, rep. 6 veces. (24 p.).

5.ª v.: *3 p.b., 2 p.b. en el p.b. sig.*, rep. 6 veces. (30 p.).

6.ª v.: *4 p.b., 2 p.b. en el p.b. sig.*, rep. 6 veces. (36 p.).

7.ª a 11.ª v.: 36 p.b.

12.ª v.: 36 p.b., girar.

A partir de aquí se trabaja ida y vuelta solo por las presillas delanteras.

13.ª v.: 1 cad., 36 p.b., girar.

14.ª v.: 1 cad., *4 p.b., 1 mg.*, rep. 6 veces, girar. (30 p.).

15.ª a 17.ª v.: 1 cad., 30 p.b., girar.

18.ª v.: 1 cad., 30 p.b., 20 cad. y ahora p.b. alrededor de la abertura: p.r. en el mismo p. en que se empezaron las 20 cad., 8 p.b. por la derecha de la abertura, 2 p.b. en la esquina de la abertura, 8 p.b. por la izquierda de la abertura, 1 p.r. y rematar.

Coser un botón al otro lado de la presilla.

La cara

Utilizar los patrones de la página 62.

Para el koala: cortar las piezas de la nariz y de los ojos de fieltro negro y coserlas en su sitio. Bordar la sonrisa.

Para el conejito y el gato: cortar las piezas para el hocico de fieltro blanco o tostado, bordar la nariz y la sonrisa y coserlas en su sitio. Cortar las piezas para los ojos de fieltro negro y coserlas en su sitio. Bordar los bigotes negros en la cara del gato.

Para el pollito: cortar el pico de fieltro tostado. Doblarlo por la mitad y coserlo en su sitio por el doblez. Cortar las piezas para los ojos de fieltro negro y coserlas en su sitio.

Para el búho: cortar el pico de fieltro tostado y coserlo en su sitio. Cortar las piezas para los ojos de fieltro blanco y negro y coser las piezas negras un poco descentradas sobre las blancas. Coserlas en su sitio.

OREJAS DEL KOALA (HACER 2)

1.ª v.: con hilo gris, 2 cad., 5 p.b. en la 2.ª cad. a partir del ganchillo.

2.ª v.: 2 p.b. en cada p.b. hasta el final. (10 p.).

3.ª v.: *1 p.b., 2 p.b. en el p.b. sig.*, rep. 5 veces. (15 p.).

4.ª a 6.ª v.: 15 p.b.

Rematar, dejando una hebra larga. Cerrar con ella la abertura y coser una oreja a cada lado.

OREJAS DEL CONEJITO (HACER 2)

1.ª v.: con hilo rosa, 2 cad., 5 p.b. en la 2.ª cad. a partir del ganchillo.

2.ª v.: 2 p.b. en cada p.b. hasta el final. (10 p.).

3.ª a 10.ª v.: 10 p.b.

Rematar, dejando una hebra larga. Cerrar con ella la abertura y coser una oreja a cada lado.

OREJAS DEL GATO (HACER 2)

1.ª v.: con hilo naranja, 2 cad., 5 p.b. en la 2.ª cad. a partir del ganchillo.

2.ª v.: 5 p.b.

3.ª v.: 2 p.b. en cada p.b. hasta el final. (10 p.).

4.ª v.: 10 p.b.

Rematar, dejando una hebra larga. Cerrar con ella la abertura y coser una oreja a cada lado de la cabeza y arriba de la misma.

ALAS DEL POLLITO Y DEL BÚHO (HACER 2)

1.ª v.: con hilo amarillo o azul, 2 cad., 5 p.b. en la 2.ª cad. a partir del ganchillo.

2.ª v.: 5 p.b.

3.ª v.: 2 p.b. en cada p.b. hasta el final. (10 p.).

4.ª a 7.ª v.: 10 p.b.

Rematar, dejando una hebra larga. Cerrar con ella la abertura y coser un ala a cada lado.

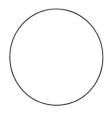

Ojo exterior
del búho

Ojos

Pico del pollito

Pico del búho

Nariz del koala

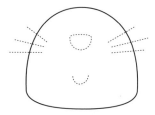

Hocico del gato

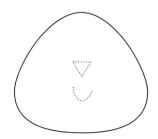

Hocico del conejito

Monederos Zanahoria y Tomate

Tamaño terminado

Zanahoria: unos 10 cm de alto
Tomate: unos 7,5 cm de alto

> Tengo un billetero magnífico en el que hay espacio para las monedas, pero estas siempre terminan en el fondo de mi bolso. Estos graciosos monederos resuelven definitivamente el problema y también son un buen recurso para guardar los juguetes más pequeños (o las piedras, los papeles o las hojas) que Martina sigue llevando a todas partes.

Materiales

Hilo grueso en naranja, rojo y un poco de verde (unos 45 m en total por monedero)

Ganchillo, de 6 mm (J/10)

Trozo pequeño de fieltro para manualidades en negro

Hilo y aguja de coser

Hilo de bordar negro y aguja de bordar

Aguja de tapicería

Cremallera, de 15 cm

Zanahoria

Se empieza a tejer por abajo.

1.ª v.: con hilo naranja, 2 cad., 5 p.b. en la 2.ª cad. a partir del ganchillo.

2.ª v.: 2 p.b. en cada p.b. hasta el final. (10 p.).

3.ª v.: *1 p.b., 2 p.b. en el p.b. sig.*, rep. 5 veces. (15 p.).

4.ª y 5.ª v.: 15 p.b.

6.ª v.: *2 p.b., 2 p.b. en el p.b. sig.*, rep. 5 veces. (20 p.).

7.ª a 9.ª v.: 20 p.b.

10.ª v.: *3 p.b., 2 p.b. en el p.b. sig.*, rep. 5 veces. (25 p.).

11.ª v.: 25 p.b.

12.ª v.: *4 p.b., 2 p.b. en el p.b. sig.*, rep. 5 veces. (30 p.).

13.ª a 15.ª v.: 30 p.b.

16.ª v.: *5 p.b., 2 p.b. en el p.b. sig.*, rep. 5 veces. (35 p.).

17.ª v.: 35 p.b.

Ahora se trabaja la abertura para la cremallera.

18.ª v.: 15 cad., saltar 15 p., 20 p.b.

19.ª v.: 15 p.b. en el espacio de 15 cad., 20 p.b. (35 p.).

La cara: con el patrón de la página 65, cortar las piezas para los ojos de fieltro negro y coserlas en su sitio. Bordar la sonrisa.

20.ª v.: *5 p.b., 1 mg.*, rep. 5 veces. (30 p.).

21.ª v.: *4 p.b., 1 mg.*, rep. 5 veces. (25 p.).

Coser la cremallera en su sitio (ver página 76).

22.ª v.: *3 p.b., 1 mg.*, rep. 5 veces. (20 p.).

23.ª v.: *2 p.b., 1 mg.*, rep. 5 veces. (15 p.).

24.ª v.: *1 p.b., 1 mg.*, rep. 5 veces. (10 p.).

25.ª v.: mg. 5 veces. (5 p.).

Rematar, dejando una hebra larga para coser la abertura de 5 p.

Hojas de la zanahoria

Con hilo verde, *15 cad., doblar formando una presilla, unir a la base con 1 p.r.*, rep. 5 veces.

Coser las presillas uniéndolas por la base y coserlas arriba de la zanahoria.

Tomate

Se empieza a tejer por arriba.

1.ª v.: con hilo rojo, 2 cad., 5 p.b. en la 2.ª cad. a partir del ganchillo.

2.ª v.: 2 p.b. en cada p.b. hasta el final. (10 p.).

3.ª v.: *1 p.b., 2 p.b. en el p.b. sig.*, rep. 5 veces. (15 p.).

4.ª v.: *2 p.b., 2 p.b. en el p.b. sig.*, rep. 5 veces. (20 p.).

5.ª v.: *3 p.b., 2 p.b. en el p.b. sig.*, rep. 5 veces. (25 p.).

6.ª v.: *4 p.b., 2 p.b. en el p.b. sig.*, rep. 5 veces. (30 p.).

7.ª v.: *5 p.b., 2 p.b. en el p.b. sig.*, rep. 5 veces. (35 p.).

8.ª v.: 35 p.b.

Ahora se trabaja la abertura para la cremallera.

9.ª v.: 15 cad., saltar 15 p., 20 p.b.

10.ª v.: 15 p.b. en el espacio de 15 cad., 20 p.b. (35 p.).

11.ª a 16.ª v.: 35 p.b.

Coser la cremallera en su sitio (ver página 76).

La cara: usar el patrón de abajo a la derecha para cortar las piezas de los ojos en fieltro negro y coserlas en su sitio. Bordar la sonrisa.

17.ª v.: *5 p.b., 1 mg.*, rep. 5 veces. (30 p.).

18.ª v.: *4 p.b., 1 mg.*, rep. 5 veces. (25 p.).

19.ª v.: *3 p.b., 1 mg.*, rep. 5 veces. (20 p.).

20.ª v.: *2 p.b., 1 mg.*, rep. 5 veces. (15 p.).

21.ª v.: *1 p.b., 1 mg.*, rep. 5 veces. (10 p.).

22.ª v.: mg. 5 veces. (5 p.).

Rematar, dejando una hebra larga para coser la abertura de 5 p.

Hojas del tomate

Utilizar hilo verde para las hojas y el tallo.

Para las hojas: *6 cad., 5 p.b. empezando en la 2.ª cad. a partir del ganchillo*, rep. 6 veces; 4 cad., 3 p.r. para el tallo.

Rematar, dejando una hebra larga. Coser con ella las hojas arriba del tomate.

Ojo de la zanahoria y del tomate

Tortuga para la comida

Tamaño terminado

Unos 25 cm de alto, incluidas las patas

Tu pequeño estará feliz al llevarse la comida al cole en esta simpática tortuga. Ahora solo falta conseguir que termine de comer antes de que llegue el postre y así todos estaremos contentos.

Materiales

Hilo grueso en verde claro, azul oscuro y en colores que hagan contraste (unos 230 m en total)

Ganchillo, de 6 mm (J/10)

Ojos de plástico de 12 mm con dorso de seguridad

Hilo y aguja de coser

Hilo de bordar negro y aguja de bordar

Aguja de tapicería

Cuerpo

1.ª v.: con hilo verde claro, 2 cad., 5 p.b. en la 2.ª cad. a partir del ganchillo.

2.ª v.: 2 p.b. en cada p.b. hasta el final. (10 p.).

3.ª v.: *1 p.b., 2 p.b. en el p.b. sig.*, rep. 5 veces. (15 p.).

4.ª v.: *2 p.b., 2 p.b. en el p.b. sig.*, rep. 5 veces. (20 p.).

5.ª v.: *3 p.b., 2 p.b. en el p.b. sig.*, rep. 5 veces. (25 p.).

6.ª v.: *4 p.b., 2 p.b. en el p.b. sig.*, rep. 5 veces. (30 p.).

7.ª v.: *5 p.b., 2 p.b. en el p.b. sig.*, rep. 5 veces. (35 p.).

8.ª v.: *6 p.b., 2 p.b. en el p.b. sig.*, rep. 5 veces. (40 p.).

9.ª v.: *7 p.b., 2 p.b. en el p.b. sig.*, rep. 5 veces. (45 p.).

10.ª v.: *8 p.b., 2 p.b. en el p.b. sig.*, rep. 5 veces. (50 p.).

11.ª v.: *9 p.b., 2 p.b. en el p.b. sig.*, rep. 5 veces. (55 p.).

12.ª v.: *10 p.b., 2 p.b. en el p.b. sig.*, rep. 5 veces. (60 p.).

13.ª v.: *11 p.b., 2 p.b. en el p.b. sig.*, rep. 5 veces. (65 p.).

14.ª v.: *12 p.b., 2 p.b. en el p.b. sig.*, rep. 5 veces. (70 p.).

15.ª v.: 70 p.b. solo por las presillas traseras.

16.ª a 21.ª v.: 70 p.b.

Cambiar a azul oscuro.

22.ª a 31.ª v.: 70 p.m.

32.ª v.: *12 p.m., 1 mg. a p.m.*, rep. 5 veces. (65 p.).

33.ª v.: 65 p.m.

34.ª v.: *11 p.m., 1 mg. a p.m.*, rep. 5 veces. (60 p.).

35.ª v.: 60 p.m.

36.ª v.: *10 p.m., 1 mg. a p.m.*, rep. 5 veces. (55 p.).

37.ª v.: *9 p.m., 1 mg. a p.m.*, rep. 5 veces. (50 p.).

38.ª v.: *8 p.m., 1 mg. a p.m.*, rep. 5 veces. (45 p.).

39.ª v.: *7 p.m., 1 mg. a p.m.*, rep. 5 veces. (40 p.).

40.ª v.: *6 p.a., 1 mg. a p.a.*, rep. 5 veces. (35 p.).

Rematar.

Rayas

Ver en la página 39 la ilustración y las instrucciones sobre entretejido de la hebra, pero aquí hay que trabajar la sección de la tortuga a p.m. y con colores distintos. Con una aguja de tapicería y empezando debajo de la sección con uno de los colores (verde oscuro en el proyecto presentado), pasar la hebra por encima y por debajo de los p.m. de todas las v., alternando las pasadas por encima y por debajo de una v. a otra. Hacer 1 v. con este color y 2 v. con el segundo color elegido (naranja en este proyecto) para hacer un total de 12 rayas.

Cabeza

1.ª v.: con hilo verde claro, 2 cad., 5 p.b. en la 2.ª cad. a partir del ganchillo.

2.ª v.: 2 p.b. en cada p.b. hasta el final. (10 p.).

3.ª v.: *1 p.b., 2 p.b. en el p.b. sig.*, rep. 5 veces. (15 p.).

4.ª v.: *2 p.b., 2 p.b. en el p.b. sig.*, rep. 5 veces. (20 p.).

5.ª v.: *3 p.b., 2 p.b. en el p.b. sig.*, rep. 5 veces. (25 p.).

6.ª a 11.ª v.: 25 p.b.

12.ª v.: *3 p.b., 1 mg.*, rep. 5 veces. (20 p.).

13.ª a 15.ª v.: 20 p.b.

Rematar, dejando una hebra larga para coser.

Cara

Colocar y fijar los ojos de plástico con dorso de seguridad. Bordar la sonrisa, rellenar la cabeza y coserla delante del cuerpo. Coser la 11.ª v. de la cabeza a la 3.ª v. de p.m. para que la cabeza se mantenga levantada.

Patas (hacer 4)

1.ª v.: con hilo verde claro, 2 cad., 5 p.b. en la 2.ª cad. a partir del ganchillo.

2.ª v.: 2 p.b. en cada p.b. hasta el final. (10 p.).

3.ª v.: *1 p.b., 2 p.b. en el p.b. sig.*, rep. 5 veces. (15 p.).

4.ª a 12.ª v.: 15 p.b.

Rematar, dejando una hebra larga para coser. Rellenar un poco, coser la abertura y coser cada pata a la 15.ª v. en la parte inferior.

Cordón

Con uno de los hilos de color que hagan contraste (naranja en el proyecto presentado), hacer 81 cad. flojas, 80 p.r. empezando en la 2.ª cad. a partir del ganchillo.

Rematar.

Pasar el cordón alrededor de la zona de arriba, entretejiéndolo por encima de 2 p. y por debajo de 2 p. y dejando los 5 p.a. sin cordón en la parte frontal de la bolsa. Hacer un nudo en cada extremo del cordón. Tirar de los dos extremos para cerrar la bolsa.

Instrucciones generales

Para realizar estos divertidos accesorios Amigurumi se requieren unos conocimientos de ganchillo muy básicos.

El hilo

Los modelos del libro se han tejido con hilo de grosor mediano y ganchillo de 6 mm (J/10), ocasionalmente con ganchillo de 4 mm (G/6).

En estos proyectos he utilizado hilo de algodón porque las bolsas y los demás accesorios que los niños llevan al colegio se suelen ensuciar bastante y el algodón resiste mejor que la lana los lavados repetidos en la lavadora. Y además, no sé tus hijos, pero mis niñas siempre tienen calor (¡ah, lástima no volver a ser niño!) y no las imagino llevando una mochila que dé calor en verano, por eso me pareció más apropiado optar por el algodón.

Se pueden elegir los colores que propongo o dar rienda suelta a la creatividad y utilizar otras combinaciones de color.

Muestras, tensión y tamaño del ganchillo

Las medidas que se dan para cada proyecto son aproximadas y se basan en mi forma personal de tejer. Yo hago el punto muy apretado y con el ganchillo de 6 mm y un hilo de grosor mediano, las medidas de las muestras serían:

35 p.b. y 7 v. en redondo = un disco de 7,5 cm de diámetro
50 p.b. y 10 v. en redondo = un disco de 10 cm de diámetro

Tampoco importa demasiado el tamaño final, por eso no hay que preocuparse si se teje con otra tensión. Dependiendo de esta y del hilo utilizado, la bolsa o el monedero podrán ser algo más pequeños o más grandes que los míos. Si se utiliza un ganchillo más grueso o más fino, el accesorio quedará respectivamente más grande o más pequeño.

Los puntos

En estos proyectos de Amigurumi se han utilizado puntos sencillos; por eso son perfectos para los principiantes.

Cadeneta (cad.): hacer un nudo corredizo y pasarlo al ganchillo. Echar la hebra sobre el ganchillo y pasarla por el nudo corredizo, sacando este del ganchillo. *Echar la hebra sobre el ganchillo, pasarla por la nueva presilla sacando esta del ganchillo. Repetir desde * hasta obtener el número de puntos de cadeneta que se desee.

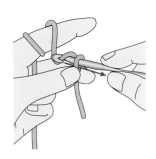

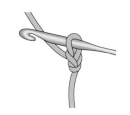

Punto raso (p.r.): el punto raso se utiliza para avanzar por uno o más puntos. Introducir el ganchillo en el punto, echar la hebra y sacarla por las dos presillas al mismo tiempo.

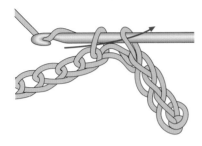

Punto bajo (p.b.): *introducir el ganchillo en la cadeneta o hacerlo en el punto indicado, echar la hebra y sacarla por la cadeneta o por el punto (quedan dos presillas en el ganchillo).

Echar la hebra y sacarla a través de las dos presillas del ganchillo. Repetir desde * hasta tejer el número de puntos que se desee.

Aumento a punto bajo (aum. a p.b.): tejer 2 puntos bajos en el mismo punto.

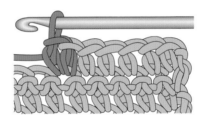

Menguado a punto bajo (1 mg. a p.b.): (introducir el ganchillo en el punto siguiente, echar la hebra, sacar una presilla) 2 veces; echar la hebra y sacarla por las tres presillas del ganchillo.

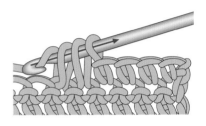

Punto medio (p.m.): *echar la hebra sobre el ganchillo e introducir este en la cadeneta o en el punto indicado. Echar la hebra y sacarla por el punto (tres presillas en el ganchillo).

Echar la hebra y sacarla por las tres presillas del ganchillo. Repetir desde * hasta tener el número de puntos deseado.

Aumento a punto medio
(aum. a p.m.): hacer 2 puntos medios en el mismo punto.

Menguado a punto medio
(1 mg. a p.m.): *echar la hebra sobre el ganchillo e introducirlo en el punto siguiente, echar la hebra y sacarla por el punto (tres presillas en el ganchillo), echar la hebra sobre el ganchillo e insertar este en el punto siguiente, echar la hebra y sacarla por el punto. Echar la hebra y sacarla por las cinco presillas del ganchillo.

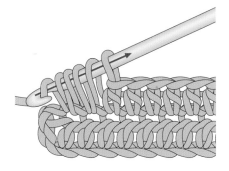

Punto alto (p.a.):
*echar la hebra sobre el ganchillo e introducirlo en la cadeneta o en el punto indicados. Echar la hebra y sacarla por el punto (tres presillas en el ganchillo), echar la hebra y sacarla por dos presillas del ganchillo (quedan dos presillas en el ganchillo).

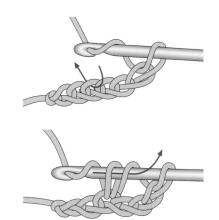

Echar la hebra sobre el ganchillo y sacarla por las dos presillas restantes (ahora queda una presilla en el ganchillo). Repetir desde * hasta obtener el número de puntos deseado.

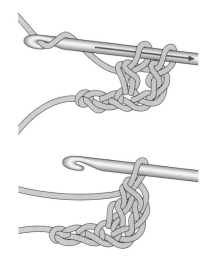

Menguado a punto alto
(1 mg. a p.a.): echar la hebra sobre el ganchillo e introducirlo en el punto siguiente, echar la hebra y sacarla por el punto, echar la hebra y sacarla por dos presillas del ganchillo (quedan dos presillas en el ganchillo).

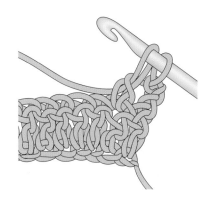

Echar la hebra sobre el ganchillo, introducirlo en el punto siguiente, echar la hebra y sacarla por el punto, echar la hebra y sacarla por dos presillas del ganchillo (quedan tres presillas en el ganchillo).

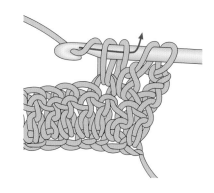

Echar la hebra y sacarla por las presillas del ganchillo.

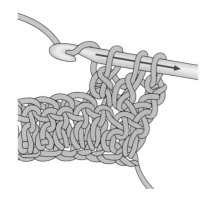

Tejer en una cadeneta

Cuando se teje la primera vuelta en la cadeneta del principio, esa primera vuelta de puntos se suele hacer en una presilla o en las dos presillas del derecho de la cadeneta.

Tejido en la presilla de arriba

Tejido en las dos presillas

Tener en cuenta que en algunos proyectos la primera vuelta de puntos se teje en el "saliente" del revés de la cadeneta.

Tejer en las presillas de 1 punto

La mayoría de los puntos se tejen introduciendo el ganchillo por debajo de las dos presillas del punto de la vuelta anterior. En algunos proyectos se trabaja solo por la presilla trasera o delantera del punto.

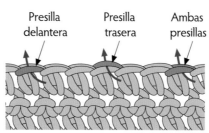

Presilla delantera   Presilla trasera   Ambas presillas

Tejer en redondo

Para tejer en redondo, yo voy tejiendo una espiral continua. Para saber dónde empieza y termina una vuelta, se puede marcar el principio o el final con un imperdible, un marcador

de puntos o una hebra pasada por uno de los puntos. Al final de la última vuelta, se hace 1 punto raso en el primer punto bajo de la vuelta anterior y se remata la hebra.

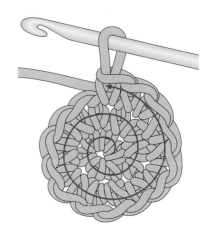

Cambiar de color de hilo

En algunos proyectos se deben alternar dos colores. Para hacerlo, se trabaja el último punto hasta que quede un paso de ese punto por hacer; el útimo paso se hace con el nuevo color, se sigue con él hasta el final de la vuelta y luego se cambia de la misma forma.

Las caras

En cada proyecto se incluyen las plantillas para los hocicos y otras piezas de fieltro que se deban cortar. Cortar el fieltro con tijeras afiladas para que los bordes queden limpios y bonitos. Los rasgos faciales se "dibujan" con aguja e hilo de bordar, haciendo puntadas sencillas sobre el fieltro antes de coser estas piezas en los modelos. El fieltro se cose con aguja e hilo de coser en un color a tono, haciendo una bastilla menuda junto al borde de la pieza.

BOCAS

Para una boca sencilla, salir con la aguja en A y pincharla en B, dejando una hebra floja que será la que dibuje la boca. Cuando la forma de la boca esté bien, salir con la aguja en C y pasar por encima de la hebra para luego pinchar en D, dando una puntada pequeña. Los cabos del hilo se rematan por el revés.

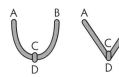

NARIZ Y OJOS

Para hacer estos rasgos a punto de satén, salir con la aguja en A, insertarla en B y repetir, siguiendo la forma que se desee dar a la nariz o a los ojos y asegurándose de que las puntadas queden muy juntas. Rematar los cabos de hilo por el revés.

Otra posibilidad para bordar la nariz es empezar desde el centro hacia arriba (como para la bolsita Búho, abajo a la derecha). Salir con la aguja desde el revés en el punto A; insertar la aguja en B. Salir con la aguja hacia arriba en C, muy cerca del punto A. Insertar la aguja de nuevo en B. Seguir haciendo las puntadas muy juntas para formar un triángulo, asegurándose de pinchar la aguja siempre en B. Cuando el triángulo esté bien formado, dar dos puntadas largas atravesadas arriba de la nariz para perfilarla.

Rellenar

Para los rellenos siempre utilizo fibra de poliéster fiberfill porque no es alergénica, no forma bolas y es lavable, ¡lo cual es una ventaja cuando se hacen cosas que habrá que lavar con frecuencia! Si se lavan estos accesorios, hay que seguir las indicaciones de la etiqueta del hilo con el que se hayan tejido.

Coser brazos y piernas

Siempre coso con una aguja de tapicería y con el mismo hilo que usé para tejer las piezas (o por lo menos, una de ellas) que voy a coser. Al coser una pieza con otra, comprobar que queden bien fijas para que los dedos de los niños no terminen por arrancarlas.

En algunas bolsas se deja sin cerrar la abertura en las patas del animal para coser estas al cuerpo; las instrucciones indican los casos en que se debe dejar abierta. Situar la pieza sobre el cuerpo y coserla todo alrededor de la abertura, pasando por los puntos delanteros de la pata y del cuerpo.

Por el contrario, en otras bolsas se debe coser la abertura de las extremidades antes de coser estas al cuerpo. Para ello, se pellizca la abertura para cerrarla,

se alinean los puntos de un lado con los del otro lado y se cosen por la presilla delantera de un lado y la presilla trasera del otro. Colocar la pieza en su sitio sobre la bolsa/cuerpo y coserla.

Punto por encima (repulgo)

Este punto es muy fácil y se utiliza en algunos proyectos para coser una pieza con otra.

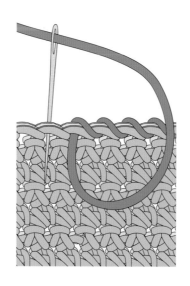

Coser una cremallera

¡Coser una cremallera es mucho más fácil de lo que parece! Con el derecho de la labor hacia dentro, alinear la cremallera (por dentro de la bolsa) con su abertura. Asegurarse de que el tirador de la cremallera toca uno de los extremos para que

no quede un agujero. Cerrar la cremallera y coserla en su sitio haciendo una bastilla con aguja e hilo de coser de un color que haga contraste (para que se vea mejor). Después, coser la cremallera en su sitio con aguja de tapicería y el hilo de tejer a tono con la bolsa. Coser primero un lado, abrir la cremallera y coser el otro lado. ¡Listo! (ver fotografía en página 19).

No importa si la cremallera es más larga que la abertura. El sobrante se puede dejar por dentro de la bolsa o cortarlo, asegurándose de sujetar los extremos con muchas puntadas apretadas.

Entretejer los cabos

Para rematar la labor se deja una hebra de 10 cm que luego hay que entretejer por el revés. Para ello, con una aguja de tapicería y trabajando por el revés de la labor, insertar la aguja en la vuelta de más abajo, pasándola por detrás de las dos presillas de cada punto hasta que quede un cabo corto de hebra. Cuanto más corto sea el cabo, mejor, para no tener que cortarlo con tijeras y correr el riesgo de dar un corte en la labor.

Abreviaturas y glosario

*	Repetir las instrucciones entre * y * tantas veces como se indique
cad.	Cadeneta
der.	Derecho
j.	Juntos
mg.	Menguar/menguado
p.	Punto(s)
p.a.	Punto alto
p.b.	Punto bajo
p.m.	Punto medio
p.r.	Punto raso
rev.	Revés
sig.	Siguiente(s)
v.	Vuelta(s)
1 mg. a p.a.	Tejer a punto alto 2 puntos juntos (ver página 73)
1 mg. a p.b.	Tejer a punto bajo 2 puntos juntos (ver página 72)
1 mg. a p.m.	Tejer a punto medio 2 puntos juntos (ver página 73)

Ojos de seguridad

Solo he utilizado ojos de seguridad en dos proyectos de este libro, pues en el resto he optado por hacer ojos de fieltro, aunque siempre se pueden usar ojos de plástico si se prefiere. En las tiendas de manualidades se pueden encontrar ojos de seguridad; si no, buscar "eyes" en www.sunshinecrafts.com. Los envían rápidamente. Si se desean ojos de colores divertidos, buscar en www.suncatchereyes.net

Cremalleras

Me costó mucho encontrar en internet las cremalleras adecuadas para estos proyectos y terminé comprando las mejores y más bonitas en www.kandcsupplies.etsy.com

Agradecimientos

Gracias al personal de Martingale por su amabilidad, su cariño, su tolerancia y ¡por hacer que mis labores quedaran tan preciosas!

Es un auténtico placer trabajar con vosotros.

Gracias de todo corazón.

¡Un abrazo!

La autora

Ana Paula Rímoli nació en Montevideo, Uruguay, donde siempre estaba haciendo labores. Comenzó a tejer a ganchillo de pequeña, sentada fuera de casa en las tardes de verano, bajo la supervisión de una vecina. Empezó tejiendo bufandas, tapetes y bolsos, y ya no paró. Cuando nació su primera hija, se propuso hacerle pequeños juguetes y más tarde descubrió los Amigurumi. Desde entonces, estos muñecos de ganchillo apasionan a Ana y su colección no ha dejado de crecer y crecer, invadiendo poco a poco toda la casa. Ana reside actualmente en Nueva Jersey (EE.UU.) con sus dos niñas, Oli y Martina, que son su inagotable fuente de inspiración, y con su marido, que la apoya en su afición por las labores. En esta misma editorial ha publicado los best sellers *Amigurumi. Sorprendentes muñecos de ganchillo* y *Amigurumi. Alegres muñecos de ganchillo*. Su blog es: AmigurumiPatterns.blogspot.com y su tienda etsy: etsy.com/shop/AnaPaulaOli.

OTROS TÍTULOS PUBLICADOS

Más información sobre estos y otros títulos en nuestra página web:
www.editorialeldrac.com